TE ACLIMATAS O TE ACLICHINGAS.

Latinos comprando casa en USA

Flavio Jimenez

A mi esposa Martha por ser siempre mi brújula y mi norte. Para mi hija Brianna que todos los días me enseña a no rendirme nunca. Para mi hijo Edgar Otto que me demuestra a cada paso el significado de ser valiente.

Entre los 3 forman mi triangulo de soporte, motivación y claridad.

INDICE

VOCABULARIO

Esposo = Bulto

Freno de mano = Esposa

Serpiente = Suegra

Sancho = Amante

Marinovio/a = Pareja sin estar casados legalmente

Turista permanente = Persona indocumentada

Surimbo = Pendejo

Hasta nunca Chuy = Cuando el bulto no te apoya y lo debes dejar ir

Hasta nunca Chencha = Cuando el freno de mano no te apoya y la debes dejar ir

Peligroso = Cuando una persona tiene todo en orden y solo le falta estructura y tomar acción

Hoy toca papá = prepárate porque algo te va a tocar hoy, por lo general es información buena y pasa los viernes

Zapatero a tus zapatos = Dedícate a solo lo que sabes hacer bien

Introducción

Aprender mirando el espejo ajeno...

Los bienes raíces son un vehículo para hacer dinero

Sé que en este momento no dejas de pensar en la idea de tener un techo, o si ya lo tienes, probablemente fantaseas con el día que se lo termines de pagar al banco. O si ya lo pagaste, en lo bien que se verían algunos espacios remodelados, si le quitas aquí y le pones allá, si la alfombra la cambias por piso de madera, si le pones granito a la cocina, etc. La verdad no te culpo por romancear con tu casa. En el fondo eso es lo que nos mueve a comprarla. Es lo que a mí me movió a comprar mi primera propiedad. Sí, también fui un romántico como tú. Es que culturalmente hablando y siendo bien honestos, forma parte de nosotros, de nuestras costumbres y valores. Desde tiempos inmemoriales donde el hombre primitivo se guarecía de las inclemencias del tiempo y de los peligros de su entorno, un techo se relaciona con la protección. En este sentido, la vivienda es una necesidad primaria innegable, nos protege y hasta nos permite soñar con algo que es, o que será algún día verdaderamente nuestro. No quiero que me malinterpretes, ese sentimiento romántico de tener una casa no es malo, lo malo es no verlo también desde el punto de vista financiero y de consumo. Ahí es donde la estamos regando, ahí está el me-hoyo del asunto, y para muchos latinos ahí es donde la puerca torció el rabo, nos enamoramos de la casa y dejamos de crecer financieramente.

Mi mayor deseo es que este libro te sirva como guía para aprender a hacer dinero con bienes raíces. Sí, estás leyendo bien, hacer dinero con bienes raíces. ¡Ya sé!, ya sé que existen un montón de libros diciéndote lo mismo "que te van a enseñar a hacer dinero con bienes raíces", ¿por qué deberías creer en mí?, ¿qué hace mi método diferente?, pues te diré que el sinnúmero de personas a las que he ayudado hasta ahora y los resultados que les han dado los sistemas financieros en bienes raíces que he implementado para ellos. Leíste bien, ¡el sistema financiero que he implementado para cada uno de ellos! No hay un sistema para todos, cada uno de mis clientes son diferentes y están en situaciones distintas. Quien te diga que hay un solo método para hacer dinero con bienes raíces, ¡te está mintiendo! Muchos agentes de bienes raíces, agentes de préstamos o "expertos" en el tema lejos de realmente enseñarte, te dicen lo que quieres escuchar para ganar dinero de ti, ya sea por comisión o por la venta de cursos. Cursos que en ocasiones sirven, pero que muy probable jamás vas a leer. Honestamente cada persona tiene necesidades, objetivos y finanzas diferentes, no hay un curso o estrategia de inversión que sea el mismo para todos, es imposible. Lo bueno para mí no necesariamente es bueno para ti.

Así que te voy a compartir mi experiencia de 25 años representando a hispanos al momento de comprar y vender bienes raíces, este libro te servirá para que reflexiones acerca de que "lo que dices y lo que haces es muy diferente a lo que deberías decir y hacer". Cuando te menciono que hay que aprender mirando el espejo ajeno me refiero a que hay que observar al otro, ¿qué hace?, ¿cómo lo hace? A diferencia de nuestros países, en Estados Unidos los bienes raíces son un artículo de consumo, aquí los americanos hacen dinero con sus casas, ellos no se enamoran de la "yarda grande", "del barrio o el área buena", "de los pies cuadrados de la casa" y mucho menos se enamoran del "año de construcción". Para ellos una casa es el inicio perfecto para forjar un patrimonio, y sobre todo para forjar un plan de retiro. Contrario a nuestras ideas románticas, los americanos ven en los bienes raíces el vehículo perfecto para hacer dinero, y de paso aseguran un techo que los protege mientras lo hacen.

No quiero hacer de esta introducción la excusa perfecta para hablar de mí. Aunque, si me preguntas como diría la gran María Félix "prefiero hablar bien de mí, que hablar mal de los demás". Quiero que esta introducción hable bien de ti, de tu enorme potencial para lograr tu crecimiento financiero. ¿Por qué es importante que leas este libro? Quiero que te enteres de algo que estoy seguro aún no te han dicho. Los hispanos por primera vez en la historia de este país tenemos más plusvalía que cualquier otra raza. Ni siquiera los americanos tienen tanto dinero en bienes raíces como los hispanos. Esto debería traducirse en bienestar y riqueza para nuestra comunidad y, ¿sabes qué? No está siendo así porque no nos hemos preparado para tomar ventaja de esta posición histórica. Estoy seguro de que conoces por lo menos a una persona que adquirió su casa durante el periodo de recesión, quizás tú mismo lo hiciste.

Aquí en este libro te pongo mi granito de arena para contribuir en tu educación, para que encuentres a través de estas páginas la información que necesitas para alzar tu propia voz, y para que te animes a compartirme tu historia. Este libro, es eso precisamente, una compilación de historias que he vivido con mis clientes a lo largo de mi ejercicio profesional y a través de mi programa de radio que este 2023 cumple 20 años ininterrumpidos al aire, "se dice fácil, pero se requiere de un gran esfuerzo" decían los spots televisivos de la CFE (Comisión Federal de Electricidad) en México a inicios de los años ochenta. Está bien, no me quiero poner nostálgico. Dije que no quería que esta introducción se tratara de mí, aunque irremediablemente también formo parte de las páginas donde se narran estas historias. No lo puedo evitar porque me he visto reflejado en ellas. Estoy seguro de que te pasará igual y aprenderás bastante mirando el espejo ajeno. Entremos pues en materia y remontémonos a un pasado que te permita entender tu presente financiero y las acciones que debes tomar para asegurar tu futuro y el de los tuyos.

Capítulo I

El Sueño Americano

Cuando piensas en Estados Unidos indiscutiblemente se viene a la mente la frase que millones de personas han dicho por las pasadas décadas: Estados Unidos es el país de las oportunidades. Mis sueños los voy a conseguir en USA.

En otros continentes es llegar a América, en el continente americano es llegar a Estados Unidos, al norte, a Gringolandia. El sueño americano es muchas cosas para mucha gente. Libertad política, libertad de expresión, capitalismo, seguridad, igualdad en las oportunidades, etc.

Tenía yo 9 años cuando escuché a mi padre decir que regresaría al "norte", que de nuevo se iba a los Estados Unidos.

---Tengo que regresar al norte, allá es en donde hay trabajo para mantenerlos, me tengo que ir para asegurarme que ustedes tengan un mejor futuro.

Recuerdo que nos dijo mi padre un par de días antes de regresarse a Estados Unidos. Para él, ya no era tanto una misión de supervivencia, ya no se iba de "bracero" o a cruzar el cerro, en ese tiempo mi papá ya era residente permanente, ya tenía su tarjeta verde, y eso, después entendí que te da una tranquilidad y una seguridad que desafortunadamente muchas otras personas no tienen. Con esa seguridad de entrar al país sin esconderse de nadie, mi padre venía a conquistar de una manera más fácil y sin tantas trabas el anhelado y en ocasiones relativo bienestar familiar y personal. Yo soy el mayor de 4 hermanos, recuerdo mucho que mi madre nos decía que gracias a mi papá y al sacrificio que hacía al estar lejos de la familia, a nosotros no nos hacía falta nada. Efectivamente no recuerdo haber pasado por carencias, nunca me dió hambre ni frio, siempre mis pies estaban con calzado y también tuve la fortuna de ir a la escuela, hasta esa edad y gracias a mi papá el niño dios me traía regalos en navidad y el día de reyes, nunca escuché que no se podía ir al doctor o que no podíamos comprar medicina por falta de dinero en caso de enfermedad, ahora entiendo lo que en ese momento era para mi padre llegar a Estados Unidos, antes no lo entendía ni lo miraba así, yo creía que no quería estar con nosotros, que nos estaba dejando solos.

Desde entonces me quedé con la idea y con la impresión de que en USA había algo mejor. Yo quería aventurarme con mi padre, quería estar con él. Estaba yo muy chico para que mis padres lo permitieran, mi madre jamás me daría permiso.

--- Sólo tienes 9 años, estas muy pequeño para venirte conmigo.

Eso me dijo mi padre cuando le pedí que me llevara con él. Luego me dijo lo que les dicen a muchos:

---Tú te tienes que quedar aquí, ahora tú eres el hombre de la casa y tendrás que cuidar de ellos. Respondió mi padre.

Fué para mí una situación de mucha confusión. ¿Muy pequeño para que me vaya contigo, pero suficientemente grande para quedarme como hombre de la casa? ¿De verdad un niño de 9 años es el hombre de la casa? Le acababa de decir a mi papá que yo también quería aportar, pero de eso a hacerme responsable de toda la familia y de saltar de un niño de 9 a ser el hombre de la casa no era un aporte, ¡Era una sentencia de vida! ¿Qué va a pasar conmigo, con mis hermanos, con mi madre? Conforme pasaba el tiempo y con esa imposición de responsabilidad en la familia, también se vino el desencanto, el coraje y la impotencia. Desencanto porque ya había perdido la alegría de la niñez, los compañeros del barrio y los de la escuela tenían además de su papá, el tiempo de salir a jugar y a convivir, eso de ser el hombre de la casa me llenó de responsabilidad y sentía que jugar con otros niños ya no era para mí, las personas que tenían la misma asignatura que yo, los adultos, no salían a jugar futbol en la calle, ni tampoco jugaban carreras de bicicleta, ellos eran responsables de su casa, y yo los tenia de ejemplo, yo también tenía que hacer lo mismo.

El coraje vino en mi adolescencia cuando sentí que todo eso que me habían heredado no me tocaba, que yo no había tenido ni siquiera el derecho a la réplica, núnca tomaron mi opinión, literalmente me hicieron el "regalito" y no había devoluciones. La rebeldía llegó, los reproches a mi mamá y el enfado hacia mis hermanos eran una constante en el día a día, era el tiempo del toma y dame, mis tíos a querer forjar mi carácter y yo a pasarme sus consejos por el arco del triunfo. Luego impotencia, sabía que ya no podía hacer nada, eso de ser el hombre de la casa ya me lo había creído y creo que también el resto de la familia creía lo mismo. El darme cuenta de esta verdad me dolió mucho, por primera vez en mi corta vida sabía exactamente lo que otros esperaban de mi pero también supe que yo aún no tenía ni la menor idea de lo que yo quería para mí, estaba más perdido que Adán en el día de las madres. En ese tiempo de confusión, frustración, coraje y porque no decirlo también tiempo de miedo, el mentado sueño americano era un mito, era mentira y era una pesadilla. Quizá para el que está en Estados Unidos si lo sea, pero para los que nos quedamos atrás definitivamente no.

Tuvieron que pasar muchos años para que también yo emigrara, fue siempre una idea que tuve, quería descubrir que es lo que Estados Unidos de Norteamérica ofrece y que todos quieren... Oportunidad, mejor calidad de vida (para el que trabaja y se enfoca). La idea y las ganas de hacer el viaje, fue también siempre motivo de discusión con mi madre, ella no quería que también su hijo mayor se convirtiera en otro familiar ausente. Un día le reproché a mi madre:

--- Para que sirvió que tú y mi papá cruzaran la frontera como indocumentados para que yo naciera allá en California? Ni tu ni él me dejan ir, yo voy de gane, a diferencia de muchos yo voy a entrar legalmente y eso me da muchas ventajas en todos los aspectos.

Mi madre no lo aceptaba y no lo asimilaba. En el fondo también yo la entendía, también yo no le quería pasar el "regalito" de hombre de la casa a mi hermano. Pero al igual que a millones de inmigrantes, yo seguía con la espinita de la aventura clavada en la mente, aprendí a ser resiliente. Le vendí muy bien la frase a mi mamá que escuché decir a muchos: De estar pobre en el norte a estar pobre en mi país... mejor pobre en Estados Unidos. Mi viaje fue con el consentimiento y la bendición de mi madre.

Para muchos, llegar a USA ya es un logro, llegar legal o ilegalmente ya es una meta cumplida pero no es lo más difícil. Llegar "sin papeles" implicó entre otras cosas que posiblemente miraste de frente y cara a cara al peligro, que, dicho sea de paso, en muchas, si no es que, en todas las veces, es tu misma gente la que te defrauda, la que te estafa. Al llegar o cruzar la frontera en el camino al "éxito" se convierten en víctimas de personas que no son éticas, a personas sin escrúpulos ni valores, de "coyotes" rompe-sueños, de violadores, de ladrones, de asesinos. Y esto, es para muchos sólo el principio, quizá se imaginan que no lo es todo... una vez que llegas, una vez que brincas para el otro lado te ponen la etiqueta de "deportable". ¿Cuántos inmigrantes no logran adaptarse al nuevo país y se regresan? ¿Cuántos están estresados por siempre estar escondiéndose de la migra? ¿Cuántas personas que son profesionistas en su país sufren crisis existenciales por estar trabajando en algo que no fue lo que estudiaron? ¿Cuántos no aguantan el estar lejos de la familia? ¿Cuántos no vuelven a ver jamás a sus seres queridos por no arriesgarse a regresar de nuevo sin documentos y viven el resto de la vida con nostalgia y sentimiento de culpa? ¿Vale la pena de verdad llegar al norte? Hasta aquí el sueño americano se está convirtiendo en un amargo despertar, pero sientes más cerca el sabor del éxito y sigues adelante, te sacudes las tristezas, ignoras el cansancio, sabes que no te puedes ni quieres rendir, ya estás aquí y jamás te vas a dar por vencido.

En mi caso, sólo bastaron pocas semanas para darme cuenta, para sentir y mirar lo que en este país se puede hacer. No tomó mucho para que me enamorara de esta nación. Para mí Estados Unidos de verdad es todo eso que dicen, te voy a decir por qué.

En este hermoso país se respira siempre la posibilidad de crecer, de superación, de oportunidad, de estabilidad, pero sobre todas las cosas existe la certeza de que si quieres alcanzar el tan anhelado sueño americano y lo haces dentro de los parámetros legales, solo basta con que extiendas la mano, le des paso a la imaginación y tomes acción, aquí nada ni nadie te detiene en tu viaje de alcanzar y lograr tus metas, el obstáculo más grande no son la o las fronteras que tuviste que pasar, ni el nuevo idioma, ni el estilo de vida, a éstos cambios la gran mayoría se adapta fácil y rápido, es sencillo acostumbrarse a lo bueno, el verdadero obstáculo aquí en Estados Unidos siempre serás tú mismo. Puedes decir que este obstáculo (tu) es el mismo en cualquier país y estoy de acuerdo, pero lo que no puedes argumentar es que aquí en USA es más fácil, menos burocrático, el trámite es más rápido, aquí hay recursos que en nuestros países son más difíciles de obtener. Sistemas, tecnología, apertura a nuevas ideas, trabajo, etc.

Entre todas las razas que llegan a Estados Unidos los hispanos son de los que más emigran, quizá por la cercanía, pero también este éxodo se debe a todo lo que nuestros países dejan de ofrecer o que solo lo tienen unos pocos. La falta de empleo, corrupción, inseguridad, narcotráfico y muchas razones más hacen que sea más apetecible la migración. Mirar a "Gringolandia" es una opción y una aventura, llegar a Estados Unidos barriendo dólares y acumulando riqueza es una imagen fácil de visualizar y más fácil vender, el trabajo seguro, las remesas a nuestras familias que se quedaron atrás, el auto que siempre quise, la casa de mis sueños, el patrimonio para los hijos, la escuela, en fin, todas las razones que hacen de este país lo que es.

Los que ya están aquí ya van ganando y si tienes "papeles" ya la tienes fácil (por lo menos eso creen muchos) los de la primera generación de inmigrantes apenas se están acostumbrando y en varios casos no les ha caído el veinte todavía, los de segunda generación escuchan a sus papás hablar de esas historias que solo pasan en la frontera y ahora en las películas, están confundidos porque están en el limbo, no saben si son de Estados Unidos por haber nacido aquí o del país de sus padres por la costumbre, tradiciones y cultura que aún se vive en casa. Son hijos de inmigrantes, pero gringos en todo lo demás. Por cultura y por tradición aun comen tortillas, enchiladas, tacos, pupusas, arepas, y frijoles. Aún hablan español, o por lo menos lo entienden, gritan en los partidos de futbol con los equipos del país de sus padres y también odian a los equipos que no son del agrado de los viejos, las quinceañeras aún son celebradas, el día de muertos también lo celebran… y no puede faltar el disfraz junto con los dulces en Halloween, tenemos 2 celebraciones el mismo mes por el día de las madres y como hasta los 18 años de edad se enteran que el 5 de Mayo no es la independencia de todos los países de américa latina, aún se defienden de los gringos cuando les dicen que hablan Mexican en lugar de hablar español.

Los de la tercera generación en adelante ya ni siquiera quieren hablar en español, ya están en la moda y tristemente para esta generación el sueño americano sólo es el de sus antepasados y no precisamente el de ellos, ésta generación ya es gringa cien por ciento y dejan de mirar o percibir las grandes oportunidades que tienen enfrente, ya para ellos no es "cool" o buena onda escuchar música en español, ya se convirtieron sin darse cuenta en el mosaico de culturas que tiene y existe en Norte América.

En una ocasión estaba escuchando a un conferencista en inglés que decía:

---"Ojalá todos los americanos miraran a Estados Unidos como lo miran los inmigrantes… para los inmigrantes las calles y avenidas de cada pueblo o ciudad son un camino al desarrollo, a la meta, al sueño americano, a la oportunidad… mientras que para la mayoría de los americanos es sólo un camino de asfalto"

Cada día más se mira la huella que estamos dejando los hispanos en éste país, el deporte rey de estados unidos, el baseball está plagado de estrellas latinas, el soccer está cada vez más popular y sigue en auge, en el cine y en las demás artes ya se miran siempre nombres latinos, los martes son "taco Tuesdays", nuestra comida ya está en todos lados, tenemos el mes de la hispanidad, los curules políticos ya también están siendo representados cada día más por apellidos hispanos, y no se diga en los tiempos de elecciones, el idioma oficial es inglés pero los candidatos anglosajones hacen publicidad en español, saben que nuestro voto los pone en posiciones importantes del gobierno, incluso en la Casa Blanca. Los empresarios y nuevos millonarios también muchos son hispanos. En fin, tenemos en la mano gran parte del ámbito social, económico y político.

Ese día en la conferencia tuve que reconocer que ese comentario viniendo de un anglosajón me llegó, no sólo porque resumió en pocas palabras la intención de muchos hispanos sino porque también yo estoy viviendo en carne propia esa analogía y desesperadamente me estoy aferrando a esa posibilidad de logro y éxito.

Mientras el conferencista regresaba de nuevo a impartir su charla con nosotros, no pude evitar recordar lo que me pasó de niño, la imagen de mi padre se hizo presente de nuevo, el adiós a la familia y la bienvenida a una mejor calidad de vida, el dolor de mi papá por dejar a su esposa e hijos, por la tranquilidad de saber que sería mejor proveedor y nos daría quizá la oportunidad de salir adelante, esa oportunidad que el no tuvo y que ahora yo también salía a buscarla.

Mi mente regresó al auditorio, revisé mis últimos apuntes y volví a quedarme en: "mientras que para la mayoría de los americanos es solo un camino de asfalto"

Miré a mi alrededor y me di cuenta que entre los más de 100 asistentes a ésta conferencia yo era el único hispano, por lo menos en aspecto, todos se miraban asiáticos y anglosajones, me dió tristeza pensar que quizá nos puso como un mal ejemplo ya que no estábamos ahí para participar, pero luego me contradije, sonreí al pensar que no sólo los latinos nos consideramos inmigrantes, este departamento lo llenan todas las personas con diferentes nacionalidades y asiáticos esa tarde en el seminario había muchos. En el segundo bloque de descanso me acerqué al asistente del conferencista y le pregunté si tenía la lista de asistencia, que sólo quería saber si había más nombres o apellidos hispanos para poder compartir notas o intercambiar comentarios sobre lo aprendido, comprobé que estaba yo sólo como latino esa tarde.

¿Cómo entonces podemos llegar y alcanzar el sueño americano, si no nos capacitamos ni entendemos el sistema? ¿Acaso el llegar aquí a Estados Unidos ya es suficiente? ¿Mandar dinero a nuestra familia que quedó atrás es solamente a lo que llegamos? Sí vivimos mejor y más cómodos, vestimos mejor y tenemos más posesiones materiales… ¿Pero eso es todo lo que ofrece el norte? Muchas otras preguntas llegaban a mi cabeza mientras nos llamaban a tomar de nuevo nuestros asientos porque la conferencia tenía que continuar.

Resultados y no procesos

Ya de regreso en la conferencia se empezaron a tratar oportunidades de inversión, de negocios, de energía renovable, de mercados emergentes… luego un comentario que puso más inquietud e incertidumbre a lo que ya, de por sí, me estaba costando trabajo entender. El conferencista dijo: ---- Darle a la gente lo que quiere no sólo asegura el éxito en tu empresa, sino que también te pone en la cima de los triunfadores, es más cómodo que "alguien" te diga lo que tienes que hacer a que ellos mismos lo descubran, todos los que NO vinieron hoy a esta conferencia a aprender les aseguro que les pagarán a ustedes por haberlo aprendido.

Ya mi tío JJ me lo había dicho antes:

---Aprende a cobrar por lo que sabes y no por lo que haces.

Me empecé a poner nervioso y a la expectativa de lo que podría pasar. ¿Qué significa este comentario realmente? **TODOS LOS QUE NO SABEN PAGARAN A LOS QUE SI ESTEN INFORMADOS.** Esta es una constante durante toda la historia de la humanidad. ¿No sabes mecánica? Vas con el mecánico, los enfermos con el doctor, el empresario con el abogado, contador, gerente, etc. pero nunca se me había presentado tan de frente o por lo menos no así. Me quedó claro. Yo sería la persona que daría información (en mi ramo) a los que la busquen, yo sería el puente que conecte esa parte del sueño americano, yo estudiaría para poder representar a aquellos que quieran asesoría. Tenía muy clara mi misión, para esas fechas yo había hecho uno de los descubrimientos más importantes para el ser humano, yo sabía para qué había nacido, o como muchas veces digo, ya tenía mi segunda fecha de nacimiento.

Esto en referencia a una frase que le atribuyen a Albert Einstein: "El ser humano debe de tener dos fechas de nacimiento, tiene por destino y por obligación que nacer dos veces, la primera del vientre de su madre y la segunda el día que sabe para qué nació" Yo sabía con certeza que había nacido para dedicarme a bienes raíces.

Todavía no terminaba de poner mis ideas en orden cuando el conferencista nos dijo:

--- Dar a la gente lo que pide y darlo bien es garantía de éxito, existen necesidades básicas del ser humano que si la aplicas a los tiempos actuales y piensas "fuera de la caja" lograras crear un buen negocio, las necesidades básicas del ser humano son: Comida, vestido, medicina, interacción, finanzas y vivienda.

Durante toda la conferencia estaba poniendo atención, pero ahora después de escuchar estas necesidades ya estaba yo al borde de mi asiento con mucha curiosidad por lo que nos iban a decir, ¡Yo ya estaba trabajando en una de esas necesidades! y le estaba pidiendo a Dios que el conferencista hablara más sobre todo del tema de vivienda que es el que me interesaba.

Pide y se os dará, toca y se os abrirá. Llegó el turno del tema de vivienda.

--- Deuda es el nombre del juego, nos dijo el conferencista... --- Deuda y apalancamiento. El sistema financiero que se aplica en el sector de vivienda es de gran ventaja para el que la entiende, entendiendo a la deuda la conviertes en tu aliada, estructura tu vida financiera para que te puedas apalancar en el sistema financiero bancario de vivienda.

Entendí la razón por la que las personas pagan renta, no es por la necesidad de tener un techo. La gran mayoría paga renta porque aún no entienden la deuda, les da terror o lo miran como un gasto innecesario por el costo de intereses, no entienden el costo del dinero y tampoco lo quieren pagar, y como no están estructurados financieramente tampoco entienden como apalancarse en el sistema financiero bancario. Me llego el sentido de urgencia. Hice un inventario de mis conocidos latinos, desde compañeros de trabajo hasta vecinos y familiares, para que se den una idea de lo viejo que estoy, llegué a casa a buscar mi libreta con los nombres y números de teléfono de mis contactos, ¡los tenía escritos! No estaban en el celular como hoy, ¡descubrí que la gran mayoría de ellos estaban de inquilinos! ¡Sentí que había yo descubierto el hilo negro! Ahí mismo en el salón de la conferencia me empezaron a llegar ideas de como poder compartir y ofrecer mis servicios a los latinos, estaba anotando mis ideas y también intentando escuchar al conferencista, no sabía que era más importante... Anotar mis ideas o escucharlo para aprender más. El resultado: 6 o 7 hojas de garabatos que dos días después ni yo mismo le entendía a nada! Era como un rompecabezas que tuve que armar para que tuviera sentido, como envidié a las mujeres ese día, ellas presumen de ser multi-task, hacen muchas cosas al mismo tiempo, yo de plano no sabía ni podía escribir mis ideas, escuchar al conferencista y hacer notas de lo que decía.

Para cumplir con el horario y no dejar nada fuera se habló de todas las necesidades, con información muy importante y con amplio sentido de urgencia por perseguir nuestras metas y conquistar nuestras ilusiones. Yo ya estaba decidido, tenía que hacer algo para dejarle saber a todos lo que había aprendido, no es correcto que me quede con información tan buena y no la comparta ¡Justo estaba pensando eso cuando se me acerco una mujer que también estaba participando al igual que yo de la conferencia, me percaté que era una mujer anglosajona, de unos 50 años y vestida elegantemente como ejecutiva, para mi sorpresa también era inmigrante! Acababa de llegar de Canadá, su nombre Alberta (pobrecita, que feo nombre para una mujer, pensé) ella vivía en Chicago y sólo había venido a Las Vegas para ésta conferencia, empezamos a platicar sobre lo acontecido y aprendido ese día, supe de su empresa de publicidad, ella le hacía publicidad prácticamente al que se dejara, lo mismo le daba si vendes tomates en la esquina o si tenías una fábrica de partes para los aviones de la NASA, cuando le dije de mi profesión como agente de préstamos hipotecarios y como agente de bienes raíces, ¡Ya quería ensartarme en un paquete de publicidad para vender más casas! Le escuche toda su presentación de ventas y hasta ahí todo iba bien, luego me soltó una pregunta que me dejó frío y lleno de vergüenza.

--- ¿Por qué los latinos no se ayudan entre sí y además se cometen fraude entre ellos mismos?

Sentí que mi cara cambio de color, no lo esperaba, no sabía que responder… de hecho no respondí. Ella se dio cuenta de mi estado mental congelado y como para acabarme de rematar me lanzó otra pregunta:

--- ¿Será que los latinos tienen esa cultura y se la traen a este país también?

Ahora si me dio en la progenitora. Ese día aprendí que cuando no sabes que contestar reaccionas con indignación y enfado, quizá hasta tratando de defender lo indefendible, estaba planeando mi respuesta, nada venía a mi cabeza, ahora que necesitaba una respuesta buena lo único que se me ocurrió decir fue:

--- No todos los hispanos somos iguales… ¡Existimos unos peores que otros!

¡Que P$%@j0! La mujer soltó una carcajada y pensó que era muy gracioso de mi parte tomar en broma la situación de nosotros los hispanos en este país, por lo menos se quedó callada, ya no me pregunto más, yo me quedé triste y con coraje, nos habían encajonado a todos los hispanos, pagamos justos por pecadores y no tuve la capacidad de defenderme.

Me llegó de golpe la realización de que muchos queremos el resultado, pero no el proceso. En el caso del comentario de Alberta, el resultado de la falta de información, de conocimiento o educación de un tema en específico termina en muchas ocasiones en fraude, en que las personas que saben y que no tienen ética ni valores se aprovechan de los que no saben, pero ¿El no saber te hace victima? Muchos quieren la gratificación rápida, no analizan y terminan escudándose en su falta de conocimiento o echándole la culpa a otros. Sentimos que es una pérdida de tiempo informarnos y preguntar, o peor, creemos que es muy cara la asesoría legal. Tenemos la cultura de que: Para que me salga más barato, yo lo hago. Y ahí tienes a los cocineros haciendo de mecánicos, a los mecánicos interpretando contratos legales y a los intérpretes de contratos legales dando asesoría de abogados. Como siempre digo, zapatero a tus zapatos. Tienes la razón si estás pensando que una persona puede saber varias o muchas cosas, pero también tienes que estar de acuerdo que el que mucho abarca poco aprieta, o dicho de otra manera… El que a dos amos sirve, con uno va a quedar mal.

El resto de la conferencia pasó y ni me di cuenta, estaba con sentimientos encontrados por un lado había descubierto una manera diferente de pensar, una misión de informar de manera correcta a la comunidad hispana, por otro lado Alberta, la persona Canadiense también inmigrante me había puesto en una realidad que yo no quería aceptar pero que era evidente, me encontraba en la posición de escoger entre ver el vaso medio vacío o medio lleno, en ese tiempo a mí ya me estaba yendo muy bien en mi negocio, era Agosto del 2004 y escogí mirar el vaso lleno, muy lleno.

¡Toma lo bueno de las cosas malas que te pasan y aprende!

Quiero contarte esta parte de mi vida porque creo que a muchos de nosotros nos ha pasado lo mismo. La razón por la que entré al negocio de bienes raíces fue porque cuando compré mi primera propiedad lo hice, ¡a través de un fraude! Tanto el agente de bienes raíces "hispano por cierto" como el oficial de préstamos (también hispano) cometieron fraude para que yo comprara mi casa. La población hispana en este país comete más fraudes hipotecarios que cualquier otra raza, desafortunadamente el fraude es de hispanos a hispanos. La excusa casi siempre es: ¡Yo no sabía! Y con mucha vergüenza utilicé la misma frase para también quedar doblemente avergonzado cuando me enteré de que "la ignorancia no se defiende en corte". Me dió mucha vergüenza y sentí mucha frustración porque no era la primera vez que veía que esto ocurría. Mi padre vivió en Estados Unidos 45 años y nunca compró una casa. El día que quiso comprar una también le cometieron fraude. Él le dio $5,000 dólares en efectivo al agente de bienes raíces (hispano también) ¡Error garrafal! ¡Jamás des efectivo en una transacción de negocios o para el depósito de una casa! El agente se desapareció con el dinero, ¡nunca más lo volvimos a ver! Eso marcó a mi papá y nunca volvió a intentar comprar una casa. Como dicen en mi pueblo: ¡El perro nunca ladra y el día que ladró le rompieron el hocico!

Antes de que yo supiera que había cometido fraude cuando compré mi primera casa mi papá me pidió que fuéramos juntos a verla antes de que me entregaran las llaves. Lo llevé con mucho orgullo y aunque aún no podíamos entrar todavía, él se asomaba por las bardas y ventanas para verla por dentro. Mi papá y yo desafortunadamente nunca tuvimos una relación muy buena. Tener una casa significaba para mí haber hecho más que él en ese aspecto de la vida. ¿Te acuerdas lo que te dije de romancear con una casa? ¡Así de competitivo! Estaba ya casado con mi esposa (cariñosamente freno de mano) Martha, nos duró muy poquito la alegría de haber comprado casa en USA, y en lugar de festejar nuestro éxito, el banco nos dio la noticia de que se había cometido fraude. No sabía qué hacer, no sabía cómo decirle a mi papá.

El fraude consistió en que la propiedad se había comprado con un préstamo FHA, que es un préstamo respaldado por el gobierno. Para poder calificar para un FHA necesitas dos años de taxes. Yo llegué a Las Vegas en octubre de 1997 y para marzo de 1998 ya tenía la casa. El agente mintió al llenar la aplicación, ésta decía que yo tenía trabajando como cocinero muchos años en Las Vegas. Los agentes falsificaron todo y no lo sabía. Le di mi confianza al agente de bienes raíces y al agente de préstamos. Gracias a Dios yo nunca me escondí y hablé con el banco. Conseguimos que ambos agentes fueran multados. El agente de bienes raíces perdió su licencia y yo perdí la confianza en los "profesionales hispanos" aparte de quedarme con un mal sabor de boca.

Afortunadamente, y por consejo de mi esposa que me dijo:

--- Si no vas a confiar en nadie, ¿qué vas a hacer? ¿Mejor hazlo tú, por qué no te informas tu?

Me metí a estudiar y en ese año de 1998 empecé a trabajar en un banco haciendo préstamos hipotecarios y me quedó claro que tenía que hablar con la gente diciendo la verdad. Cuando mi papá se dio cuenta de que yo estaba trabajando en eso me dijo:

--- ¡Ten mucho cuidado de no engañar a la gente como me engañaron a mí, como te engañaron a ti también!

Eso se me quedó grabado en la mente y el corazón. Nunca voy a decir quiénes fueron los agentes que estuvieron involucrados. El agente de préstamos aún sigue trabajando en esto, él no perdió su licencia. Ahora, honestamente debo darles las gracias. Aunque por mucho tiempo estuve resentido, la realidad es que debido a esta experiencia descubrí que mi verdadera pasión eran los bienes raíces y las finanzas, que mi vocación era ayudar a la comunidad hispana a que no vivieran por ignorancia esta clase de situaciones. A veces de una mala experiencia podemos ganar motivación. ¡Hay que tomar lo bueno de las cosas malas y aprender!

CAPITULO II

La Basura es tu Oportunidad

--- Lo que pasa en Las Vegas se queda en Las Vegas, eso dijo el conferencista al terminar el día, ---- Vayan a repasar sus notas y nos vemos mañana en punto de las 8:00 am. Tendremos un largo día por delante y mucho que aprender.

Yo estaba motivado, quería demostrarles a todos, pero sobre todo a mí mismo que saldría adelante, me apresuré al auto y salí rumbo a mi casa, tenía que mirar a mi hija antes de que se durmiera y contarle a mi esposa todo lo que me había pasado, aún estaba molesto por los comentarios de la canadiense y no quería llegar así a casa, mi esposa estaba embarazada de nuestro segundo hijo y lo menos que quería era transmitir mi enfado a ella.

No contaba con ese sexto sentido que tienen las mujeres, al llegar a casa mi esposa se dió cuenta de mi estado de ánimo y comenzamos a platicar:

--- Muchas personas son defraudadas porque no están o estamos educados en el tema. Me dijo mi esposa mientras preparaba la cena, --- a nadie nos gusta que nos mientan o que nos "miren la cara" y más aún cuando buscamos ayuda con nuestra misma comunidad hispana, es fácil caer en manos de personas que no tienen valores ni principios, y que además se aprovechan de la falta de conocimiento y del idioma, nosotros los hispanos confiamos en la buena voluntad de nuestra gente y si a eso le agregas el miedo que tienen de denunciar a las autoridades estos tipos de abusos porque son amenazados por no tener documentos para estar en este país, se vuelve más fácil estafar a estas personas.

Me quedé pensando en el comentario de mi esposa. Terminamos la cena y nos dispusimos a descansar, mañana será otro día pensé, mañana arreglaremos los problemas del mundo.

Día número 2 y último de la conferencia, llegue al lugar y al entrar Alberta me estaba llamando para decirme que me había apartado un lugar más cerca del escenario, como sólo me conocía a mí pensó que sería buena idea estar juntos el resto de la conferencia para compartir notas y pensamientos.

--- ¡Trágame tierra y escúpeme en Roma! Fue lo primero que pensé, --- falta que me siga preguntando por el comportamiento de los hispanos en este país y yo no tenga argumentos con que defenderme.

¿Qué creen que paso? Pues eso. Me saludó con un fuerte apretón de manos, me pasó un vaso de café que ya me tenía ahí y me soltó la primera pregunta:

--- ¿Si te comenté que me especializo en mercadotecnia verdad? ¡Pues fíjate que descubrí algo en los hispanos que hará que hagas mucho dinero y que todos aquí en Las Vegas te conozcan!

Será un día muy largo pensé mientras tomaba un poco de café, la verdad es que quería moverme de ahí y que me dejara en paz, estaba con ella sentado ahí por educación y porque además eran muy buenos los lugares que había reservado para el evento. Tengo que aceptar también que eso de hacer mucho dinero y que se diera a conocer mi negocio me interesó, sobre todo viniendo de una persona que no es mi competencia, no vive en esta ciudad y que se especializa en mercadotecnia.

--- Dime, le respondí después de un largo sorbo de café, ¿Que descubriste de los hispanos?

--- ¡Te va a encantar mi descubrimiento!

Me respondió con una gran sonrisa, de esas sonrisas que llegan de oreja a oreja, me di cuenta de que ella estaba orgullosa de lo que me iba a decir:

--- ¡Estoy segura de que si aplicas lo que te digo te va a ir muy bien! Fue relativamente fácil para mí hacer todo este estudio que te voy a mostrar, ¿Estás listo? Pues bien; descubrí que aquí en Estados Unidos los hispanos miran un promedio de 6 a 7 horas de televisión al día, ¡Los hispanos son el segmento de la población que más mira la televisión! Esto por encima de cualquier otra raza incluyendo los anglosajones, asiáticos, afroamericanos y europeos, ¿Sabes lo que esto significa?

--- Si lo sé, le contesté, ahora crees que somos unos perdedores mata tiempo.

--- Nada de eso, al contrario... creo que si das a conocer tu negocio en televisión tienes un porcentaje muy alto de que éste incremente y que te des a conocer de una manera mucho más rápida, sé que solo hay muy pocas televisoras en español aquí en el área local, así que no será nada difícil que las contactes y que te hagan una campaña de publicidad.

En ese momento se anunció por micrófono que la conferencia daría inicio y que todos tomáramos nuestro lugar.

Me salvó la campana pensé, pero ya estaba noqueado y aun no empezaba la pelea oficialmente.

Terminó la conferencia, yo tenía muchos apuntes y compartí mis notas con los ahí presentes, también intercambiamos correos electrónicos para "seguir en contacto", por supuesto que Alberta estaba entre ellos. La canadiense me dio más datos sobre el análisis que había hecho de los hispanos en Las Vegas y me comentó también que si yo quería ella podría encargarse de la campaña de publicidad para darme a conocer localmente.

--- ¿No entendiste lo que te dije? Insistió ella, ¡Los hispanos duran más de 6 horas al día mirando televisión! Ese querido amigo es el negocio de tu vida, todos te van a conocer.

Uno de los asistentes a la conferencia de origen asiático se me acerco y me dijo:

--- Escuché lo que te sugirió la mujer sobre anunciar tu negocio en televisión, sabes… la basura de unos es la riqueza de otros.

Seguramente me miró confundido por el comentario, ¿Estaba sugiriendo que mi negocio era basura o que anunciarse en televisión estaba mal?

--- No entiendo lo que me quieres decir.

El me invitó a tomar asiento y me explicó su comentario.

--- Mira, el tiempo que, según ella, pierden los hispanos mirando la televisión es tiempo "basura" para ellos, para quienes pierden ese tiempo. ¡Pero los dueños de la televisora y los que ahí se anuncian están felices de que así sea! Esto representa una riqueza enorme a costillas de la chatarra o basura que los demás miran, ¡busca la oportunidad! Para las personas que se capacitan, para las personas que usan ese tiempo en aprender, ese tiempo es el inicio de la riqueza, tu no mires TV, emplea tu tiempo en aprender y desarrollar tu cerebro para otras cosas. Las personas de éxito tienen que hacer varias cosas para lograrlo, una de ellas es darle prioridad a las actividades que realizan en el día. ¿Tú crees que las personas que se pasan viendo la televisión por 6 o más horas al día tendrán éxito? Haz las matemáticas y descubrirás que es imposible. La televisión es un gran invento, pero está muy mal empleado por la gran mayoría de las personas. ¿En estos dos días aprendimos como es que la gente paga por lo que no saben verdad?

Pues bien, si te anuncias en los medios de comunicación y está asegurado que te verán ahí, tienes que dar información que la gente necesite, no solamente un comercial o un artículo en el periódico, piensa fuera de la caja y da más información de lo acostumbrado, dar más de lo que se pide es otra de las cualidades de una persona de éxito, cuando te digo que la basura de unos es la riqueza de otros me refiero a que las personas solemos omitir y/o dejamos de transmitir información elemental porque creemos que los demás ya lo saben, en muchas ocasiones las cosas o la información más sencilla es la que marca la diferencia, alguien puede pensar que explicar de más es pérdida de tiempo (basura) y por eso no lo hacen, pero si explicas y te aseguras que tus posibles clientes entienden lo que les quieres decir… ellos, tus clientes, se sentirán más seguros de lo que van a hacer y posiblemente te darán el negocio "riqueza".

Escuché con mucha atención su punto de vista y entendí por qué estamos como estamos. Si miras la programación de la televisión por tantas horas al día no te queda más tiempo para crecer y desarrollar tu inteligencia y luego solo nos quejamos del por qué no nos llega el éxito, es más importante ver una novela que leer un buen libro, o ver un partido de futbol que asistir a un seminario, saber la vida de los artistas y todos los chismes de la farándula es mejor que pasar un buen rato con la familia. En estos tiempos llenarte de drama y de información chatarra que sale en la mayoría de los programas de televisión es más gratificante que la superación personal y familiar, muchos países latinoamericanos son un gran ejemplo de eso y parece ser que junto con la inmigración humana también emigró la cultura de: Que alguien más nos entretenga para matar el tiempo.

Es muy común que en mi oficina lleguen personas así, llenas de basura. Tenemos en nuestro cerebro datos, cosas y chismes que no son útiles y que nos perjudican. A estas alturas del partido las personas están cambiando la televisión por las redes sociales que es otra forma de llenarnos la cabeza de pura basura. De la misma manera que la TV, las redes sociales son muy buenas cuando generas de ellas una fuente de información que te beneficie, pero exageradamente muy malas porque te distraen de lo que realmente es importante. Aquí en Estados Unidos los hispanos con acceso a internet son del 95%, de los cuales 2 horas y 27 minutos lo utilizan en las redes sociales! Bajó el número de horas viendo la televisión, pero aumentó el número de hispanos con acceso a internet, en otras palabras: Salimos de Guate-mala y entramos a Guate-peor.

Hace un par de años, fuí a una conferencia, fui a aprender y no a impartirla. Aprendí que los humanos, gracias a las redes sociales, estamos disminuyendo nuestro nivel cerebral en retención. Un pescadito "Gold fish" tiene un nivel de retención de 8 segundos, si lo pones en una pecera lo suficientemente grande (que le tome 8 segundos darle la vuelta completa) el pinchi pescado cada vez que de la vuelta pensará que está viviendo algo nuevo, le pones a la pecera un juguete ahí estacionado, un arbusto y listo ¡El gold fish se sentirá en un universo que jamás se acaba! Y lo que dura son 8 segundos. Pues los humanos tenemos ahora un nivel de retención casi igual al pescadito este, eso de hacerle "scroll down" al teléfono inteligente o en español: desplazarse para abajo está provocando que nuestro cerebro esté cada día más lento. Le estamos echando una cantidad de basura que al mismo tiempo es una gran riqueza para el que publica en esas plataformas. Y luego se vienen las excusas… No sabía, me confié en lo que me dijeron, pensé que eran profesionales, no se inglés, pensé que si no declaro mis impuestos pues no pagaba y ese consejo me lo dio mi preparador. Todo es culpa de otros y no asumimos la responsabilidad de que tenemos una retención exageradamente pequeña para las cosas buenas y unas ganas enormes de echarle la culpa a otros.

¿Alguna vez te has preguntado cuánto de lo que tienes en el cerebro es basura? ¿Cuánto te han dicho que tú lo tienes como cierto, pero no lo es? Ahí está el detalle como dijo cantinflas, ya he escuchado casi de todo y también de todo tipo de basura cuando se trata de bienes raíces. Es basura cuando un agente de bienes raíces te dice que puedes dar solamente el 5% de enganche para una propiedad de inversión, también es basura cuando te dicen que un co-signer o alguien que te ayuda a calificar para comprar la casa lo puedes quitar en 6 a 12 meses, así como también es basura cuando te dicen que puedes comprar una propiedad con un seguro falso, chueco o inventado, también es basura cuando te dicen que declares de más en tus impuestos para que puedas comprar casa o que declares de menos para no pagar lo que por ley te corresponde. Pero todo lo anterior es riqueza para el agente de préstamos o agente de bienes raíces que hará su comisión sin importar que tú cometas fraude.

Salí de ahí dispuesto a cambiar mi manera de pensar, lleno de ilusiones y ahora si con un amplio panorama de lo que mi sueño americano sería.

CAPITULO III

Cultura:

Arranque de Caballo y Parada de Burro

Muchos tenemos "arranque de caballo y parada de burro". Esta frase me la dijo mi abuelo cuando me explicó que muchas personas se motivan por algo o por alguien sólo por unos días y conforme pasa el tiempo caen de nuevo en el lugar que estaban al inicio, arrancamos llenos de vigor y fuerza: "estoy muy motivado" ahora si lo voy a hacer, definitivamente ahora si voy a bajar de peso, aprendo inglés porque lo aprendo, Etc. Sólo para que después de unos días terminen cansados y con la cabeza hacia abajo y sin haber hecho ni siquiera el intento. Los gimnasios se llenan en las primeras semanas de enero porque en diciembre una de las resoluciones o metas a cumplir para el nuevo año es bajar de peso… ¡Arrancamos como caballos! Pero regresa al gimnasio en marzo y están casi vacíos… ¡Parada de burro! Muchos intentamos superarnos, vamos a seminarios, compramos libros y todo lo que promocionan en esos eventos…. ¡Arranque de caballo! Llegas a casa pones el material en "algún lugar" para estudiarlo después y descubres que el después nunca llegó… ¡Parada de burro!

Después de escuchar a varios conferencistas, estudiar varios libros, y también escuchar a mis mentores que me dieron muchas ideas, me hicieron pasar vergüenzas, me dijeron mis verdades, me motivaron. Yo no tendría arranque de caballo y parada de burro. A mí no se me iba a pasar la algarabía y dejaría todo para mañana o para después.

No dejes para mañana lo que puedes hacer hoy, es otra frase que me enseño mi abuelo o, dicho de otra manera: Los latinos somos la generación del mañana… mañana lo hago, mañana lo empiezo, mañana lo termino y ese mañana nunca llega. Había aprendido muchas cosas, pero voy a rescatar a las 2 que me parecieron muy importantes.

1- A nivel personal me di cuenta de la necesidad de educación que tenemos los hispanos en este país. Es increíble que estando en un país de primer mundo tengamos que estar contra corriente. En una ocasión un hombre de 48 años me dijo:

---Yo no he salido adelante porque nunca fui a la escuela, mis padres eran pobres y me dijeron que la escuela no me iba a dar de comer, así que no me quedó de otra que irme a trabajar al campo para ayudar en la economía de la casa.

--- Si te entiendo, he escuchado muchas historias como la tuya, ahora déjame hacerte una pregunta: ¿Hace cuanto tiempo que estas aquí en los Estados Unidos?

--- Me vine al norte desde que yo tenía 18 años y por los papeles jamás he regresado.

--- Me estás diciendo que tienes 30 años aquí en USA y aun le sigues echando la culpa a tus papás por ser pobres? ¿Por qué ahora que ya tienes 30 años mandándote sólo y haciendo lo que te da la gana nunca fuiste a la escuela para que dejara de ser tu pretexto de no salir adelante? ¿Cuál es la verdadera razón del por qué dices no tener lo que te hubiera gustado conseguir?

--- Primero por el idioma, luego me sentía solo y me casé, llego la responsabilidad de la familia y los hijos y pues cuando me di cuenta ya tenía la vida encima y aún no había logrado nada.

Le siguió echando la culpa a todos.

2- A nivel profesional me quedó muy claro que las personas efectivamente van a pagar por lo que otro sepa. Este hombre a sus 48 años estaba buscando información, quería salir adelante, puedes pensar lo que quieras de él, llámale historia repetida para muchas personas, llámale escusas, llámale falta de iniciativa o de plano dile que es conformista o le encanta hacerse la víctima, pero de que ocupa ayuda e información la ocupa.

Estaba decidido a poner en práctica todo lo aprendido hoy mismo, así que tomé de nuevo mis apuntes y empecé a hacer llamadas. La primera llamada fue a una persona que estaba en mí mismo ramo o profesión, tenía mucho más éxito que yo en el negocio y además era hispano de tercera generación, le dije que lo quería entrevistar sobre la cultura hipotecaria de los hispanos aquí en Estados Unidos al momento de comprar o vender casa, pactamos la cita y nos reunimos un par de días después.

Quiero aclarar que cuando hablo de cultura me refiero a la cultura hipotecaria, financiera y de vivienda de los latinos, en la cultura que tenemos al momento de hacer una venta y compra de bienes raíces aquí en USA, de esa cultura que existe de salir adelante y de progresar en un país que estamos adoptando como nuestro y que en muchos casos los es, no me refiero a la cultura como tradición, costumbres, folklore, comida etc. Estas son riquísimas yo también las practico y estoy muy orgulloso de tenerlas.

Llegue a mi cita y me dieron la gracias por llegar a tiempo,

--- Eso de llegar tarde, me dijo mi entrevistado, también es una cultura que lamentablemente nos distingue a los hispanos.

Desafortunadamente es verdad. El no llegar a tiempo o peor aún el no avisar que vamos retrasados o que ni siquiera vamos a llegar es una falta de respeto muy grande al tiempo de los demás, es no tomar en cuenta la disponibilidad de la otra persona y la buena voluntad de nuestros semejantes.

--- ¡Es usted un ladrón! Me dijo mi abuelo cuando llegué tarde a una cita que yo tenía con él.

--- ¡Me has robado algo que jamás voy a recuperar! Que sea tu compromiso como caballero llegar siempre a tiempo, cuando llegas tarde a una cita ya pactada le estás robando a la otra persona, literalmente, algo que jamás se va a recuperar. **Cuando despilfarras tu dinero te quedas pobre, pero la riqueza se puede recuperar, en cambio cuando despilfarras tu tiempo se te acaba la vida porque el tiempo jamás se recupera.**

Que gran lección de vida me dio ese día mi abuelo, hace tantos años de eso y lo tengo tatuado en mi memoria, lo llevo presente como si hubiera pasado ayer. Mucho tiempo después mi mentor me enseño también algo muy importante con respecto al tiempo.

--- **¡Los pobres venden su tiempo, los ricos lo compran!** Mas adelante en este libro les contaré más sobre esta gran enseñanza.

Mi entrevistado empezó diciéndome:

--- La gran mayoría de los hispanos tenemos por cultura y en este país como una meta comprar una casa, ese es, en muchos casos, nuestro logro financiero más grande.

Empezaba a entender porque para muchos era el sueño americano. Por cultura, nos quedamos ahí hasta que sea de nosotros, hasta que le paguemos al banco toda la deuda, "de aquí solo me sacan con los pies por delante" dice un dicho / refrán que refleja el orgullo que sentimos cuando tenemos un pedazo de tierra que nos pertenece, pero "a la tierra que fueres haz lo que vieres" otro dicho que nos enseña lo importante que es saber adaptarse a los tiempos, costumbres y métodos para sobresalir y hacer de nuestra estadía algo más fructífero, placentero y gratificante. Aquí en USA los bienes raíces son un vehículo para hacer dinero, pero por "cultura" y falta de conocimiento muchos latinos (la gran mayoría) no lo hacen, no lo creen o de plano no les interesa.

Me tocó explicárselo a mi hijo cuando regresamos de una visita a familiares en México. Resulta que en esa visita yo muy orgulloso de mostrarle a mis hijos de donde venían sus padres, abuelos y el resto del árbol genealógico les mostraba la casa en donde yo crecí, que a su vez fue donde creció mi mamá y al mismo tiempo la casa de mis abuelos, que esa propiedad había estado en la familia por 3 generaciones, pero en otro pueblo cerca de donde estábamos, existe aún la casa de mis bisabuelos, la misma casa que también fue de mis tatarabuelos etc. Mi hijo me dijo:

--- Por qué tu si tienes recuerdos de la casa en donde creciste y yo no? Ya van 3 veces que nos movemos y yo no puedo decir lo mismo que tú, ¿Qué le voy a decir a mis hijos cuando me pregunten?

Sin saberlo y tampoco sentirlo estaba de alguna forma rompiendo la cultura de tener solo una casa y que se quede por generaciones en la familia. La pregunta fué: ¿Lo hago porque mi filosofía de vivienda es diferente en Estados Unidos, o lo hago porque no me interesa continuar con la cultura especifica de tener una casa para toda la vida?

Quizá comprar una casa y jamás venderla no sea tanto por cultura, quizá sea sentimentalismo de parte de los padres, quizá también el no desprenderse del logro alcanzado, quizá el miedo a perder lo que tanto trabajo y esfuerzo nos costó.

Este comportamiento de la gran mayoría de hispanos tiene muchos componentes y muchas caras. Tener que vender y empezar de nuevo, haberse adaptado a la casa, al barrio, al pago etc. Y ahora volverse a aventurar y empezar de nuevo, el cambio de la escuela de los hijos, la distancia bien medida al trabajo, el conocimiento del entorno y de las tiendas son un gran imán que hacen que nos escudemos en la costumbre de no cambiar.

Pero también vale la pena analizar lo siguiente: No somos coherentes con nosotros mismos, llegamos a este país a progresar y cuando nos ofrecen enseñarnos no vamos porque nos da miedo, decimos que no al compromiso, nos da flojera y además está más bueno el futbol, las novelas o el "feis" (¿recuerdan el análisis de Alberta?)

Al terminar de hablar con mi entrevistado me dí cuenta de que por cultura no avanzamos como los demás, muchos no entendemos las reglas y los pasos en este país.

¿Y los que si quieren? ¿Los que si están dispuestos a estudiar y a entender? ¿Qué pasa con los que también saben que deben de hacer cosas diferentes para obtener resultados diferentes? ¿En dónde quedan también ese alto porcentaje de latinos que no están conformes, que saben que les hace falta "algo" por descubrir, que quieren convertirse en personas "PELIGROSAS"?

El que se aclimata se aclichinga

Un gran porcentaje de hispanos llega a este país con la única meta de hacer dinero y regresar como persona de éxito a su patria, el éxito tiene muchas caras y significa muchas cosas para cada individuo, a muchos nos envuelve el peligroso sistema de Estados Unidos y nos marea tanto que no nos deja salir, a otros nos gana la famosa y destructiva frase: mañana lo voy a hacer, y como les mencioné anteriormente el mañana nunca llega.

Regresé a mis actividades de ese día, una vez terminada mi entrevista con este colega de bienes raíces, llegué a mi oficina en donde cabe mencionar que los únicos hispanos trabajando ahí éramos mi asistente y yo, la gran mayoría obviamente era anglosajona, pero también había varios asiáticos y un grupo de Armenia. Me dirigí a mi escritorio y me puse a escribir una pregunta que les daría a todos mis compañeros de trabajo. La pregunta era: Estamos todos aquí trabajando en el ramo de préstamos hipotecarios y de bienes raíces, ¿Me podrían dar su opinión sobre los hispanos en esta área? Por favor que sus respuestas sean honestas y anónimas.

Me arrepentí de pedirles que fueran honestos en sus respuestas y le agradecí a Dios porque fueron anónimas. De haber sabido el nombre de las personas que me dieron las respuestas de seguro que nos hubiéramos puesto a discutir acaloradamente.

Algunas de las respuestas fueron:

. -A los hispanos les gusta mucho trabajar, pero no les gusta aprender ni siquiera nuestro idioma inglés, es por eso por lo que es muy fácil que entre ellos mismos (hispanos) al momento de comprar o vender una casa se cometan fraude, prefieren trabajar que terminar la escuela.

- Cuando compran casa los hispanos echan a perder el vecindario, por ahorrarse dinero se ponen a reparar coches en la calle y dan mal aspecto, tienen fiesta a cada rato y son muy ruidosos.

- Son impuntuales.

- Son muy buenos clientes, si les haces un buen trabajo te recomiendan con todo el mundo.

- No entienden lo importante que es en este país el sistema de crédito.

- Que se regresen a sus países, nos piden que declaremos mentiras en los documentos, les gusta cometer fraude, usan documentos falsos, no declaran impuestos y viven de estampillas del gobierno.

- Para los hispanos la familia es lo más importante.

Hubo más respuestas, pero casi todas eran parecidas. Otra vez nos catalogaron a todos por igual. La cultura que existe en nuestros países de extorsión, mentir al momento de declarar nuestros impuestos, de que todo es "fácil" y de a cómo y con cuánto $$$ lo podemos solucionar había llegado al Norte.

Me dolió que otra vez me dijeran mis verdades, me consoló que la gran mayoría no somos así, me sentí, por primera vez en este país, humillado. Descubrí que aun en este siglo 21 y en el país más democrático del mundo había discriminación, algo que jamás personalmente había sentido y me dio mucho coraje, pero no del coraje de odio sino del coraje que se siente cuando quieres y estás dispuesto a demostrar que no somos así. En la oficina ya nada fue igual, el gerente me dijo que era una opinión muy generalizada y que no representaba a todos los latinos, pero a mí no me confortó el comentario, yo si me miraba representando a los hispanos por lo menos ahí en esa oficina.

Pocos meses después me estaban dando el reconocimiento como mejor empleado y también como el agente de préstamos hipotecarios con más producción en ese año, los números arrojaron que el 95% de mi producción fué con clientes hispanos, nuevos propietarios de vivienda. Por dentro sonreí y me pregunté: ¿A cuántos mecánicos sin título había representado y cuantas fiestas habrían hecho estos nuevos dueños de casa? Para inicio del 2005 ya no trabajaba en esa empresa, pocas semanas después de los premios y reconocimientos me estaba despidiendo del grupo, la pregunta que hice y las respuestas que me dieron hicieron que yo ya no me sintiera parte de ellos. Me despedí también porque no quería aclimatarme a ese grupo, tampoco aclimatarme a ese entorno, sabía que tenía que salir para lograr otros objetivos, tenía que buscar una empresa mucho más grande y con recursos económicos para impulsar y tener más acceso en el mercado hispano.

Con los reconocimientos y logros adquiridos en la empresa a la cual pertenecí fue relativamente fácil agendar varias entrevistas de trabajo con nuevas instituciones bancarias y firmas ejecutivas de bienes raíces, tenía que buscar empleo y los dueños de estas empresas estaban muy interesados en penetrar el mercado hispano.

Me decidí por trabajar con una empresa ya establecida y con un nombre conocido a nivel nacional. La franquicia tiene mucho que ver sobre todo si haces publicidad, es más fácil que te reconozcan y que te asocien con una empresa "grande" y eso tiene sus ventajas, pero la razón principal de mi decisión fue la conversación que tuve con el gerente de la empresa, al principio de nuestra entrevista me cayó mal, a los 5 minutos lo quería ahorcar y media hora después estaba muy interesado en su plática, les explico por qué.

--- Le agradezco señor que esté usted a tiempo, es raro que un latino sea puntual.

¡Ese fue el recibimiento! (Fue cuando me cayó mal) ¡Ni siquiera me conoce y ya me está juzgando! No me quise quedar atrás y también lo empecé a juzgar yo, pero solo en mi pensamiento: ¡Que cabrón me saliste! Como me trates méndigo también te voy a tratar.

El gerente era un tipo alto, de buen aspecto físico, era fácil saber que tenía un régimen de ejercicio, vestido como ejecutivo, traje negro y corbata amarilla, rubio, ojos azules…todo un gringo pensé.

Me dijo quién era, cómo había llegado hasta esa posición, cuánto tiempo tenía en el negocio, en fin, todas esas formalidades que se toman cuando se conocen por primera vez y te quieren decir todo lo bueno que son ellos y la empresa que representan, en pocas palabras, me quería apantallar. Luego me dijo lo siguiente:

--- Le tengo que advertir señor que si usted quiere pertenecer a nuestro grupo de trabajo tendrá que cumplir con unas reglas. Sabemos que los latinos son muy dados a cobrar de más por sus servicios, también que se les hace muy fácil falsificar documentos y hasta falsificar firmas de los clientes, que muchos tienen aliados que en su gran mayoría y en casi todas las ocasiones también son latinos para verificar trabajos que no existen, formas de impuestos (taxes) que nunca son presentadas al IRS y sobre todo que entre ustedes es muy común cometer fraude y muchas de las veces en colaboración con el mismo cliente, falsifican números de seguro social etc.

(Ahí fué cuando lo quería ahorcar) Pero aún tenía más que decir el güerito este.

--- Eso en esta empresa no lo vamos a tolerar, tenemos una buena reputación y yo en lo personal vigilo cada una de las transacciones para que esto no suceda. Necesitamos con urgencia entrar en el mercado latino, es una gran oportunidad de negocio y estamos buscando a la persona indicada para que nos pueda representar, espero que sea usted y que no se ofenda por mis comentarios, que, para decir la verdad, estas situaciones son conocidas por todos en la industria de bienes raíces, estoy seguro de que usted ya había escuchado esta realidad dentro de su comunidad.

--- Ahora si pinchi ojos azules, ya sacaste el boleto para la rifa de una madriza, te voy a aplicar la tunda de los desconocidos, van a ser tantos los golpes que vas a recibir, que ni en tu casa te van a reconocer de lo deforme que te voy a mandar con ellos. (Todo esto lo pensé, no le dije nada. Recuerden que estaba con buenos músculos, lo más seguro que el irreconocible hubiera sido yo)

Por fin llego mi turno de responder y en voz alta:

--- ¿Ya terminó? O le quiere seguir le pregunte. Para estas alturas y por el tono de mi voz el gerente se dió cuenta que estaba yo molesto.

---Creo que usted tiene que saber varias cosas le dije:

Para empezar no juzgue a todos por igual, también en el mercado anglosajón se cuecen habas, el fraude hipotecario se da en todas las razas, estoy de acuerdo que en el mercado hispano sea quizá más común pero no somos los únicos, instituciones bancarias son cómplices también de todo lo que se ha hecho, tenemos un gran problema por delante y debe haber una manera de frenar y quitar por completo esta mala representación a nuestra gente, el inicio de toda esta situación es la falta de información, cultura, idioma y el no saber poner en orden nuestras prioridades. ¡Todo esto se soluciona con EDUCACION Y CONOCIMIENTO! ¿Cuántos dueños de banco conoces que sean latinos? Yo aun no conozco a ninguno, pero cuando les llegan los prestamos fraudulentos de los hispanos los aceptan, saben que la gran mayoría de los hispanos preferimos pagar la renta que pagar el auto. El porcentaje de personas hispanas con ITIN que no pagan la casa es menor al 1% y en ese caso no les importa que estos clientes no tengan papeles verdad? ¿Ya también tu como gerente de este banco tienes miedo de que los hispanos vengan a quitarte el empleo? Pues saca bien tus cuentas, en el 2030 dejaremos los hispanos de ser minoría y para el 2040 el 70% de las transacciones de bienes raíces serán hechas por hispanos o por descendientes de hispanos.

¡Cállate los ojos! El gerente no sabía que hacer, se dió cuenta que ese día yo andaba con la mecha corta y pues tampoco sabía que yo venía huyendo de una oficina en donde se habían expresado mal de los hispanos, en fin, como decía mi abuelo, lo puse como palo de gallinas.

Le dije muchas cosas más, el gerente escuchó con mucha atención mi punto de vista, empezó a sudar, lo puse nervioso y no sabía en dónde meterse el desgraciado. Poco a poco los ánimos se calmaron y llegó el dialogo. El gerente me dijo:

--- ¿Sabe señor porque le hablé así? Mi familia es hispana, somos de América del Sur, español es mi primer idioma y cuando mis padres llegaron a este país un agente de bienes raíces latino los represento para comprar una casa mediante un préstamo, les cometió fraude y mis padres pagaron las consecuencias.

Silencio total. ¡Qué vergüenza! Sentí que mi cara reflejaba todos los colores habidos y por haber, al inicio me sentí juzgado y al final yo terminé juzgándolo a él, yo solito me puse una chinga y el solo la estaba disfrutando.

Siempre he odiado la discriminación, pero la que más me duele es la discriminación entre hispanos. Yo estaba discriminando a otro hispano por cultura e identidad. También hay hispanos que parecen gringos, esta fue sin duda una de las vergüenzas más grandes que he pasado en mi vida, les juro que no sabía que hacer ni dónde meterme.

Este comentario me llegó cortito, yo también pasé por una experiencia similar, mis padres trabajaron muy duro por muchos años y cuando se decidieron a comprar una casa, cuando se atrevieron a dar el paso de alcanzar el tan anhelado sueño americano, el agente de bienes raíces les engañó y junto con el agente de préstamos hipotecarios les quitaron varios miles de dólares, prácticamente todos sus ahorros.

Le pedí disculpas al gerente de la empresa, mis disculpas fueron en español y también negociamos en español un contrato en inglés. Me aclimaté en la discusión y el dialogo, me aclichingué en mi juicio.

Moraleja: Jamás juzgues a un libro por su apariencia. Sólo el que lleva la carga sabe lo pesado que está.

CAPITULO IV

El Gran Peligro de Caer en el Sistema de USA

Como ya les comenté anteriormente, millones de personas llegan a Estados Unidos de todas partes del mundo buscando un mejor futuro, llegan con una sola misión: Encontrar lo que su país no les puede dar. Muchos regresan después de un tiempo con mejor ropa, algunos dólares en el bolsillo y quizá hasta regalos para su familia y amigos, son la alegría de sus seres queridos por verlos de nuevo, son el ejemplo por sus logros en el extranjero y la envida de otros que los ven triunfar y ahora también ellos quieren la misma oportunidad.

Existen millones de historias como esta. Para muchos ya es un gran logro salir del pueblo, ciudad o del país y tener una vida mejor en un país que nos es el suyo. Pocos hablan de que existe un gran peligro que pasa desapercibido en Estados Unidos, es el peligro que muchos no cuentan, es como un virus que te llega y casi nunca lo detectas, cuando por fin lo haces, cuando por fin descubres ese virus, para la gran mayoría ya es demasiado tarde, ya están desahuciados, ya no tienen fuerza o ganas de combatirlo. Este gran peligro es: La rutina de USA

Si ustedes hacen un análisis es muy común que el sueño americano para millones de personas sea de la siguiente forma:

Despiertas y te preparas para el trabajo, 8 horas después vas de regreso a casa, miras la televisión o haces tus labores del hogar y ya es hora de dormir para que al día siguiente hagamos exactamente lo mismo, del trabajo a la casa y de la casa al trabajo. Los días de "descanso" son todo menos eso. Si tu día de descanso cae entre semana, tienes suerte porque muchas de las actividades cotidianas las puedes hacer, pero si tus días de descanso caen en sábado o domingo… por un lado tienes semana inglesa y está padre, por otro lado, ya te llevo la que te trajo porque la gran mayoría de las instituciones gubernamentales, de utilidades o bancarias están cerradas.

Y es así como te adaptas a tu rutina, clavas la cabeza en tu día a día y cuando la levantas ya se te pasó tu vida productiva.

Esta rutina o mejor dicho esta falsa sensación de seguridad laboral son extremadamente destructivas y asesinan casi a todas las personas que la padecen, aquí hay que pagar los "billes" y que tengamos trabajo seguro es exactamente lo que venimos a buscar a Estados Unidos, ahora que ya lo tenemos y que nos da la calidad de vida que no teníamos en nuestros países no lo vamos a desaprovechar. La rutina de Estados Unidos destruye. Por no tener el "tiempo" dejamos de aprender cosas que nos harían más productivos, por no tener el tiempo dejamos de hacer lo que nos trajo a este país, dejamos de soñar, dejamos de progresar. Una cosa es trabajar por obligación para cumplir con nuestros compromisos y que además es muy importante y necesaria y otra muy diferente es trabajar con un objetivo claro de avance y progreso.

Esa seguridad que sentimos en el trabajo te la voy a quitar de tajo en este momento.

Por favor hazte la siguiente pregunta: ¿Que tan difícil o que tan fácil es que mi jefe me reemplace? Si tu respuesta es: fácil, quiere decir querido amigo que tu seguridad laboral no existe, eres fácil de reemplazar o, dicho de otra manera: No eres indispensable. La verdad es que nadie es indispensable, pero por lo menos deberíamos de realizar nuestras labores lo mejor posible, dar más de lo que nos piden para que al patrón ni se le ocurra despedirte, o por lo menos que despidan a muchos otros antes que a ti.

En una ocasión me dijo una señora que ella tenía mucha seguridad laboral, llevaba más de diez años trabajando para la compañía, su esposo también, él ya tenía 12 años en la misma empresa, después de felicitarla por eso, le hice la pregunta de ¿Qué tan difícil sería reemplazarlos? Se quedó pensando un poco y me respondió: --- No tengo ninguna seguridad en mi trabajo, soy de las miles de personas que trabajan en los hoteles de los casinos limpiando cuartos, es muy común ver cómo llegan y se van nuevas compañeras, entonces mi esposo tampoco tiene seguridad en el trabajo, él es mesero en un restaurant y sé que sería muy fácil reemplazarlo también.

Compartí con aquella mujer esto que ahora también comparto con ustedes.

Mi padre fue un hombre muy trabajador, jamás lo despidieron de un trabajo por flojo, las veces que se quedó sin empleo fue porque la empresa de construcción para la que trabajaba terminaba la obra y en lo que tenía otra los mandaba a todos los empleados a descansar.

Le pregunté en una única vez por qué no intentaba capacitarse en otra cosa que le gustara o que le diera una mejor opción laboral. Mi padre me contestó que ya estaba viejo para aprender nuevos trucos, que su tiempo ya había pasado y que su anhelo era llegar a los 62 años para pensionarse. Terminó trabajando por varios años en un edificio dando mantenimiento. Mi padre creció con muchas limitaciones, tanto económicas como académicas, a él lo enseñó la vida y la calle. Su falta de inglés también hizo que tuviera una autoestima baja y estoy seguro de que jamás lo pudo superar. Le ganó indiscutiblemente la rutina de trabajar, ir a casa, levantarse y volverlo a hacer. Mi padre dejó de trabajar hasta que su cuerpo le dio permiso, y coincidentemente me dijo también lo mismo que mi abuelo:

--- Aprende y mírate en este espejo, tienes que hacerlo mejor que yo.

Logró su objetivo de pensionarse a los 62 años y murió a los 67.

Por la rutina muchos estamos cansados o por lo menos esa es la excusa para no asistir a una escuela, nos da miedo, flojera o vergüenza que los demás se enteren que vamos a seminarios y conferencias de educación financiera. Si voy a la conferencia esta tarde me voy a desvelar y mañana tengo que ir al trabajo, no tengo quien se quede con los niños, no se inglés, en esos eventos siempre te quieren vender algo, ese tipo de conferencias son una farsa, si hacen dinero es porque algo mal están haciendo, todas las personas que son ricas (económicamente hablando) son corruptos y abusan de sus empleados. Estos son algunos de los comentarios que escucho frecuentemente. Era muy común que cuando yo invitaba a mis conocidos o a mis compañeros a una conferencia para capacitarnos y no me acompañaban, las mismas excusas de siempre, otros ya estaban curados de espanto, me decían algo como: Ya he ido a varias conferencias y también a varios seminarios, solo me emocionan, gasto mucho dinero en los programas que venden y al fin no pasa nada y sigo igual de pobre.

No nos detenemos a pensar que las personas que tienen más éxito que nosotros están haciendo o ya hicieron algo que nosotros aún no hemos hecho. Nadie se pone a pensar que el dueño de una tienda de abarrotes o de una carnicería, se tiene que levantar de su cama a las 3 de la madrugada para estar listo con el horario de su negocio, nadie piensa que tiene una nómina que cubrir y una responsabilidad muy grande con sus empleados y también con sus clientes, pero somos muy rápidos al criticar la "buena suerte" que ha tenido con ese negocio.

La buena suerte no existe. Punto y se acabó.

La buena suerte la invento una persona que ese día no tenía nada que hacer y que dicho sea de paso tampoco a lo largo de su vida nunca hizo nada. ¡Hasta para ganarse la lotería debes tener dinero, levantarte del sillón, ir a la tienda y comprar el boleto! En otras palabras, tienes que hacer algo, la suerte llega cuando la buscas.

Yo he aprendido que a lo que muchos llaman buena suerte es el resultado de la siguiente formula: $E + O \times A = E$

Educación + Oportunidad x Acción = Éxito (para los mediocres: buena suerte)

En una ocasión escuche decir ¡Que entre más trabajo más buena suerte tengo!

Multiplicar siempre será más que sumar, por eso en esta fórmula solo se multiplica la acción. De nada te sirve saber si no actúas. Tus acciones tienen que ser mayores a tus conocimientos, las acciones arrojan dos resultados: el primero: triunfo o éxito, el segundo: fracaso o mejor dicho aprendizaje.

Los 2 resultados te darán siempre experiencia de lo que debes y no debes hacer. Edison no se equivocó miles de veces antes de lograr como detener la electricidad dentro de un bombillo o foco de luz, Edison aprendió miles de veces lo que no debía hacer para llegar al resultado que estaba buscando.

Conformarte con lo que ya tienes es el primer síntoma de la rutina. Una de las frases favoritas de nuestra comunidad hispana es la siguiente: "Tenemos que darle gracias a Dios y a la vida por lo que tenemos". Y es muy cierto. No hay nada más bonito que ser agradecidos. Agradecido no es sinónimo de ser conformistas. ¿Estas agradecido por tu trabajo? ¡Qué bueno! Pero estudia para descubrir cómo puedes lograr nuevas posiciones dentro de la empresa. ¿Estas agradecido con los alimentos que tienes en tu mesa? ¡Bendito sea Dios! Pero ahora edúcate para que esos alimentos dejen de ser chatarra y beneficien mejor a tu cuerpo y a las personas que más quieres. ¿Estas lleno de felicidad y agradecido por el dinero que puedes mandar a tu familia en tu país o por los montones de dólares que tienes en el banco? ¡Felicidades! Ahora hay que educarnos y saber cómo el dinero trabaje para nosotros y no nosotros para el dinero.

Una persona que está conforme con lo que ha logrado deja de crecer y solo está esperando que lleguen la fecha en que debe de dar cuentas al creador o como digo a mi radio escuchas:

El día que vas a colgar los tenis.

Como latino te voy a dar un argumento que te dejará claro porque debes de seguir creciendo y progresando.

Un joven llegó a Estados Unidos, empezó a trabajar y empezó también a mandarle dinero a sus padres. Le tocó cupido a la puerta y quiero pensar que también le tocó el corazón y que se nos casa el pobrecito, se cansó de vivir a gusto y se buscó el freno de mano. La esposa sabía y estaba de acuerdo que el marido, el nuevo bulto… (El bulto. Así es como cariñosamente les digo a todos los esposos) tenía la buena costumbre de enviarle dinero a sus papás cada mes sin excepción. Llegaron los hijos, y el bulto no fallaba en enviarle los dólares a sus padres, un buen día regresó este joven a su tierra, se había casado por amor y la esposa al verlo tan enamorado de ella siendo ciudadana le dio los "papers", llevaba con él a su esposa y a sus 2 hijos. Se llenó de emoción por volver a ver a sus padres, pero también se llenó de angustia porque miró que su casa y sus papás prácticamente estaban igual que como los dejó. Entonces le pregunta a su madre:

--- ¿Por qué todo sigue igual? Traen tu y mi padre la misma ropa que antes, la casa no tiene arreglos, ¿Acaso no es suficiente lo que les mando? ¿Por qué no me dijiste? te hubiera mandado más.

La madre bajó la mirada y le contestó:

--- Ay mijo, tenemos casi todo el dinero que nos envías en el banco, solo lo usamos para lo más indispensable. A mí, pero sobre todo a tu padre, nos da mucha vergüenza que pienses tú o tu mujer que nos estamos malgastando el dinero en ropa, en arreglar la casa o peor, en irnos de escapada a unas vacaciones. No soportaríamos una mala mirada de tu esposa, o pensar que el dinero que nos mandas se lo quitas a tus hijos y que ellos estén pasando por necesidades por culpa de nosotros.

Estos padres tenían vergüenza de que su hijo los ayudara o como dicen… los mantuviera. ¿Quieres saber ahora una razón para progresar? O quieres también ser parte de la estadística en donde los padres dependen de los hijos. ¿Recuerdas en los capítulos anteriores como los hispanos cuando llegamos a USA no solo inmigramos el físico sino también las costumbres? No me digas que no conoces a nadie aquí en Estados Unidos que aun viviendo en USA esperan que los hijos los mantengan. Los hijos que lo hacen deben de dar gracias a dios por poder hacerlo, es un privilegio estoy seguro, pero como padre que soy, les digo con toda sinceridad que yo no quisiera convertirme en una carga para mis hijos, al contrario, estoy decidido a obtener el mayor de los progresos posibles, para que, en lugar de ser una carga, sea un escalón de superación para ellos.

Entonces, desde este lado de las trincheras yo miro cómo la rutina y el conformismo se apoderan cada día más de la gran mayoría de los inmigrantes y sus descendencias. Los primeros (inmigrantes) porque creen que llegar aquí y estar mejor que como estaban ya es el final de su búsqueda, los segundos (descendencia) es lo que aprendieron de sus padres. Según el último censo de estadística de los Estados Unidos, casi un 57% de la población NO tiene más de $5,000 en ahorros, y los hispanos estamos dentro de esa estadística.

Al decir verdad…creo que estamos mejor que lo que el gobierno cree, el gobierno no sabe que tenemos la costumbre y la cultura de tener dinero bajo el colchón, que no declaramos al IRS lo que realmente ganamos, y que tenemos un "as" bajo la manga: Tenemos el secreto de hacer dinero… ¡Las tandas o las cundinas! (estoy siendo sarcástico ☺)

Recordemos que nuestros hijos hacen más de lo que ven y escuchan en casa que de lo que aprenden en la escuela. Mírate en el espejo, mira tu vida actual… muchos psicólogos afirman que existe una gran posibilidad de que tus hijos terminen como tú.

CAPITULO V

Entender el Juego

¡Yo descubrí el miedo cuando mi hijo me dijo que quería ser como yo cuando él fuera grande!

Los que tenemos la bendición de ser padres también tenemos el gran reto de ser la mejor versión de ser humano que podamos.

--- ¡Niño fíjate bien por donde caminas!

--- ¡No papá, fíjate tú en dónde pisas porque yo estoy siguiendo tus pasos!

¿Así, o más claro?

De verdad está para dar miedo de lo mediocre que podemos convertir a nuestros hijos.

También el sistema de Estados Unidos te lleva al consumo, muchos de nosotros sin darnos cuenta caemos en esta cultura de poseer mucho, aunque debamos todo. En ocasiones también somos víctimas de esta cortina materialista, buscamos el "estatus" y la apariencia antes de la estabilidad personal y financiera. No tiene nada de malo darte los placeres por lo que tanto trabajas, al contrario, deberías de tenerlos, el problema es que partimos del punto en donde los placeres o las cosas materiales las pagas tú mismo, cuando lo inteligente debería ser que todo te lo paguen otros (OPM. "others people's money" "dinero de otra gente"). Cuando pones tu dinero a trabajar para ti, entonces estas entendiendo muy bien que no tienes que trabajar físicamente tanto para tener una vida más cómoda económicamente hablando. Un ejemplo muy sencillo de esto es cuando el banco te presta dinero para comprar una propiedad de inversión. El banco te da mediante un préstamo la mayoría del dinero para que compres tu propiedad (OPM), el inquilino de dicha propiedad te está dejando 2 tipos de ingresos, uno es la renta que sigue siendo OPM y el otro es que la propiedad eventualmente subirá de valor, a esto se le llama plusvalía o equity en inglés y lo logras cuando pasan estas 3 cosas:

1- Le bajas el balance a la deuda,
2- La propiedad sube de valor
3- Una combinación del 1 y 2. Esto es el juego de los ricos y ellos lo llaman: ROI (Retorno de Inversión)

Equilibrio y balance es el nombre del juego. Este juego visto desde la tribuna es un juego muy difícil y rudo. Pero para el que está en la cancha jugando, el equipo contrario es un equipo muy poderoso, tus adversarios son: la rutina, el conformismo, la indisciplina, la falta de un sistema, el miedo y la falta de fe.

Las personas que lograron entrar, entender y conquistar este juego de equilibrio y balance son las personas que progresivamente y casi todos los días vencen a estos adversarios que tienen un sistema ya definido, tienen fe en ellos mismos y difícilmente se detienen a escuchar a los porristas del equipo contrario. Estas personas están dispuestas a pagar el precio ahora para obtener los frutos después.

Llegaron a mi oficina dos parejas, los hombres son hermanos y llegaron con sus respectivas esposas… con sus frenos de mano. Tenían toda la intensión de comprar un dúplex ente ellos, cada uno vivir en una unidad y en un tiempo futuro y cuando ellos lo decidieran, dejar el dúplex rentado y cada uno comprar ahora si una casa. En teoría todo estaba bien, la realidad fue una muy distinta. Yo los represente y compraron la unidad de dos apartamentos, el mentado dúplex. Les dije paso a paso lo que tenían que hacer para que legalmente un año después de haber comprado esta propiedad, pudieran iniciar la compra de sus casas. Paso el tiempo acordado, pactamos la cita y sucedió lo inesperado. Uno de los hermanos no estaba listo para dar el siguiente paso, argumentó que se le hizo difícil ahorrar y llevar su puntaje de crédito al número necesario, me hubiera gustado que vieran la cara que puso la cuñada, no estaba enojada, estaba encabronada.

--- ¡Quedamos todos de acuerdo en lo que teníamos que hacer! Yo ya no quiero vivir en un departamento, ¡El plan era salirnos de ahí en calidad de en chinga! (palabras más, palabras menos) pero de que el freno de mano estaba molesta lo estaba. Se armó el toma y dame en mi oficina y yo como réferi mal pagado buscando la manera de como calmar los ánimos. Llegó el acuerdo de esperar otros 6 meses.

6 meses después me llamaron y me pidieron citas por separado, las mujeres, las benditas freno de mano ya no se hablaban, no se podían ver ¡ni en pintura! Los hermanos aún estaban bien. Los primeros en llegar fueron los que desde la primera cita si podían haberse salido del 2plex, tenían todo en orden, listos para dar el siguiente paso. Una hora después, al más puro estilo de la señorita

Laura… ¡Que pasen los desgraciados! Pues nada, aun no estaban listos, como ya no estaban presentes la otra pareja, los socios, ahora si me contaron todo el chisme. Cuando compraron el 2plex se les ocurrió también comprar 2 autos en la agencia, una para el bulto y el otro para el freno de mano, ella como recién casada quería dedicarle el mayor tiempo posible al esposo, él muy enamorado le dijo que le encantaba la idea de que ella estuviera ahí en su nidito de amor esperándolo, el bulto también quería apantallar a los suegros, así que le compro prácticamente todo el vestuario… ¡pero con las tarjetas de crédito y las maximizó! Y ya saben cómo son la mujeres, zapatos y bolsa que le hagan juego al vestido, y el bulto bien enamorado y cumplidor, pues a darle que es mole de olla…tarjetazo por aquí, tarjetazo por allá. Estaban en el punto que ya les sobraba más mes que quincena, el bulto no podía con los pagos, solo tenía un sueldo y le daba pena decirle a su esposa que trabajara también para ayudarlo, tampoco podía agarrar otro trabajo porque al freno de mano le daba miedo quedarse sola y más ahora que aunque se estuviera muriendo no le iba a hablar a la concuña apretada que la tenia de vecina y además de socia, en fin, de plano querían que yo les ayudara con otra extensión de 6 meses para hacer lo que tenían que hacer.

Cuando les conté lo que estaba pasando a la otra pareja empezó a arder troya de nuevo, ahora el hermano estaba echando madres, lo peor que era también ¡la mamá de él!

No hubo extensión, se dejaron de hablar, la pareja con las deudas se quedó en el 2plex como inquilinos, el hermano le pago su parte para que se ayudara con las deudas y él se quedó como dueño 100% de la propiedad y además rento la otra unidad porque se salió y lo represente para comprar su casa. Uno pagó el precio y el otro también. Uno está cosechando el fruto de su esfuerzo y el otro está de inquilino, uno está ya en camino de comprar propiedad 3 y el otro tiene el privilegio y la fortuna de salir de trabajar y encontrar al freno de mano en el departamento bien bonita, pero sobre todo bien combinada.

En resumen: La rutina, el conformismo, la indisciplina, la falta de un sistema, el miedo y la falta de fe, se apoderaron de uno de ellos, jamás entendió el juego, quizá aprenda su lección, quizá su autoestima este por los suelos y nunca salga de ahí. El otro, puso primero sus prioridades, trabajó en equipo con su esposa y lo hicieron juntos por un objetivo definido, con fechas y con montos económicos, entendió el juego de balance y equilibrio.

En muchas ocasiones el sistema de USA te convence que ser parte de la élite de jugadores es el consumo…porque puedes, porque tienes con que o porque está de moda. El sistema bancario conoce muy bien que una manera de llegar a los bolsillos de los hispanos es mediante la familia.

Una de las cosas más bonitas que distingue a los hispanos en Estados Unidos y en todo el mundo es la unión familiar. Nosotros no estamos acostumbrados a que nuestros hijos se vayan a vivir solos a los 18 años o la mayoría de edad, aquí te quedas hasta que te cases y si te vas a estudiar a la universidad a otra ciudad…una de dos: o nos vamos contigo o vienes a cada rato para estar juntos. ¡Los fines de semana es comer todos juntos, las fiestas son de solamente familia y casi siempre llegan todos… de a montones! Por estas y muchas otras razones para los hispanos la familia siempre es primero.

El banco lo sabe, las instituciones de préstamos hipotecarios lo reconocen y apuntan las campañas de publicidad a los latinos poniendo a la familia primero para comprar casa después.

Aquí en Estados Unidos los bienes raíces son la mejor manera para hacer dinero, lo dice un estudio del San Diego blog. Concluye que, en los últimos 145 años, bienes raíces ha sido mejor que la bolsa de valores.

San Diego Blog | February 15, 2018

Real Estate vs. Stocks: Which Has Performed Better Over 145 Years?

Returns on investments in 16 now-wealthy economies from 1870-2015
Average annual return (adjusted for inflation)

Housing	7.05%
Equities	6.89
Bonds	2.5
Treasury bills	0.98

ATLAS | Data: Jorda et. al. (2017)

Pues EL JUEGO de bienes raíces llego a mi así. Mi padre me dijo que el sueño a lograr aquí en Estados Unidos era comprar una casa (consumo), que así con una casa inicia el camino del éxito y del progreso, que ahora que ya estoy casado debes de proveer por tu nueva familia. Yo le creí. También sabía que mi padre quería ver en mí lo que él nunca obtuvo.

El dinero en bienes raíces lo hacemos ¡TODOS Y TODOS LOS DIAS! Todos, absolutamente todos en este país lo hacemos para nosotros o para otros. Los que estamos rentando le estamos haciendo dinero al dueño de la propiedad, los que ya somos dueños le estamos haciendo dinero al banco si es que tenemos un préstamo con ellos,

los que ya tienen la casa pagada, le están haciendo dinero a la ciudad pagándoles los impuestos de propiedad. Todo esto sin contar que también pagamos las utilidades, los seguros, las garantías y en algunas áreas las asociaciones. Al final si se dan cuenta todos hacemos o le hacemos dinero a alguien mediante los bienes raíces. La pregunta que yo hago es: ¿Cómo le puedo hacer para que la mayoría del dinero lo haga yo?

Partiremos por decir que a lo largo de mi carrera he descubierto que existen 4 tipos de personas al momento de enfrentarse a bienes raíces:

1- Los que nunca van a comprar una propiedad.

2- Los que compran la propiedad, pero nunca la pagan.

3- Los que compran una propiedad y la pagan.

4- Los que pagan una propiedad y buscan algo más…más inversión.

A continuación, les voy a dar ejemplos reales de cada uno de estos tipos de personas. Esto no significa que una es mejor que la otra, lo que si pretendo es que sepas cuál eres tú, que sepas en dónde estás parado, cuál es tu realidad y como puedes capitalizar en ella.

1- Los que nunca van a comprar una propiedad.

Este tipo de personas no quiere tener "problemas", es mucho más cómodo para ellos pagar la renta y que el dueño o gerente se encargue de la casa. Aquí en este rubro muchos creen que solo vienen a Estados Unidos por un periodo corto, solo llegaron para trabajar por un tiempo, ahorrar lo más que puedan y regresar exitosos con los bolsillos llenos de dólares a sus países. Muchos piensan que por ser TURISTAS PERMANENTES (indocumentados) no existen opciones para adquirir un préstamo hipotecario, otros por el contrario ya tienen documentos o "papeles" pero la apatía o la falta de información y el miedo son mucho más fuertes que la posibilidad de tener un pedacito de suelo americano. En muchas oportunidades he podido hablar con personas que fueron engañadas o mal informadas por decirlo de una manera más amable, sobre todos los trámites o pasos para adquirir una vivienda, desde no entender el sistema de crédito que se usa, a simplemente una pobre administración sobre los documentos necesarios para presentar al banco de préstamos hipotecarios. Muchas de estas personas se auto descalifican y en la gran mayoría de los casos es porque se comparan con su familiar, amigo o compañero de trabajo, dicen algo como: si mi colega de trabajo que gana lo mismo que yo no calificó para el préstamo pues tampoco yo. Y así, sin intentarlo, se la creen y dejan pasar la oportunidad. Otros, por ejemplo, tienen su razón muy clara y nunca van a comprometerse a una hipoteca porque no les nace, no es lo de ellos y no les importa. Estos últimos lo hacen por convicción y desde mi punto de vista está muy bien. Lo bueno para mí no necesariamente es bueno para ti.

Aquí todos ya han escuchado eso de que: ¡Estás tirando el dinero de la renta a la basura! Y están bien porque comprar una casa o una propiedad no es lo de ellos. Además, yo no creo que rentar una propiedad sea el equivalente a tirar dinero a la basura, yo creo que estas pagando por el derecho a tener un techo, un lugar para ti y para tu familia. También creo que los que pagan renta están pagando el 100% de interés. Esto es lo que les digo a los inquilinos que no compran casa argumentando que los intereses están muy altos. Cuando miran que rentar es igual a pagar el 100% de interés, casi siempre cambian de postura con respecto a comprar casa o no.

Cierto día estaba conversando con una pareja, nos conocimos haciendo línea para entrar a comer a un restaurant, y ahí tratando de incrementar mi cartera de clientes inicié una plática muy amena (por lo menos para mí) sobre bienes raíces con estos nuevos conocidos. Yo tenía preparada mi presentación de elevador… esa que te enseñan en la escuela o en la empresa, esa plática que solo debe durar 30 a 60 segundos (lo que dura un elevador para subir o bajar) para despertar el interés en tu posible cliente sobre tu producto. Empecé a hablar… corre tiempo   – Uno de los mejores vehículos de inversión son los bienes raíces, según el mercado esta inversión es o puede ser de corto, mediano y largo plazo, con una buena asesoría difícilmente su dinero estará en riesgo y siempre estará con posibilidades de crecimiento, nuestra empresa representa a decenas de nuevos clientes mensualmente y yo me encargo del departamento hispano. Aquí tiene mi tarjeta para que me permita aclararle todas las dudas que ustedes puedan tener en la compra de su casa. ¡Todo esto les dije en menos de 20 segundos!… La respuesta de ellos: -- Gracias joven, pero no nos interesa comprar casa aquí en Estados Unidos, ¿A quién se le ocurre endeudarse por 30 años pagando intereses por todo ese tiempo para que al final si es que llegas al final termines pagando más del doble de lo que te prestaron? Nosotros mejor mandamos ese dinero mes por mes a nuestro país, ahí nos están haciendo una casa que ya la tendremos pagada cuando regresemos, porque vamos a regresar y establecer un negocio… será un taller mecánico, nos pusimos como meta lograrlo en 2 a 3 años.

Nunca supe si lo lograron, no los volví a ver, solo supe que ese día no incremente mi cartera de clientes y que mi presentación de 20 segundos no había funcionado.

2- Los que compran una propiedad y nunca la pagan.

Lamentablemente aquí está la gran mayoría, el 77% de las personas que adquiere una propiedad mediante un préstamo jamás verán el préstamo pagado. ¡77%!

Aquí está muy claro el concepto de que: "Yo no le voy a llenar de dinero el bolsillo al dueño de la casa o departamento pagándole la renta, mejor me voy a comprar mi propia casa y empezar a establecerme en este país, si algún día regreso a mi tierra vendo la casa y me llevo la ganancia." Fácil de decir y muy difícil de hacer. Lo que pasa casi siempre con este 77% de personas es que utilizan su casa como una tarjeta de débito, esto es un ciclo que los bancos entienden a la perfección. Este ciclo dura entre 5 a 7 años y más o menos se mira así: compran la casa y hacen los pagos siempre a tiempo. Esto en una economía normal hace que el principal o préstamo disminuya y el valor de la propiedad aumente conocido en inglés como equity o plusvalía en español. Al pagar a tiempo también les incrementa el puntaje de crédito y les llueven las oportunidades de utilizarlo en nuevas tarjetas de crédito, préstamos de auto, líneas de crédito personales o en contra del valor ya adquirido en su casa etc. Cuando esto pasa es fácil endeudarse, sobre todo en un país que todo te da a crédito y es experto en consumo. En un abrir y cerrar de ojos ya tienes muchas deudas y para no arruinar tu crédito personal refinancias tu casa, le sacas la plusvalía o equity para pagar las deudas y vuelves a empezar.

Otra cosa que pasa muy seguido es: Ya transcurrieron 5 a 7 años en tu casa y ya subió de valor, ahora es tiempo de venderla, comprar otra mejor, con más espacio porque la familia ya creció, más chica porque los hijos ya se fueron y dejaron a los viejos solos, más nueva, en mejor área o mi preferida: Cuando compran por primera vez quieren una casa amplia, de 2 pisos para tener más espacio, que las habitaciones estén en el segundo piso para que la sala y cocina luzcan más amplias, para que les de coraje a todos los envidiosos que nos dijeron que no podríamos comprar… todo para que después de que se cumpla el tiempo de esta estadística o ciclo me llamen para decirme que quieren vender esa casa para comprar otra de un solo piso, eso de estar subiendo y bajando escaleras todo el día no está bien, ya vamos para viejos y no aguanto las rodillas de tanto subir escaleras! ¿A quién chingados se le ocurrió en poner la lavadora y secadora de ropa en el primer piso si las recamaras están en el segundo? Y va de nuevo, vuelven a empezar con el préstamo para 30 años.

Si pones atención a estos ejemplos reales te darás cuenta que la casa les sirvió como tarjeta de débito, dejaron que se acumulara un ahorrito y lo utilizaron para pagar las deudas o adquirir una deuda nueva…este es el ciclo de nunca acabar, el ciclo que el banco adora, el que nunca hará que seas dueño de tu casa porque te deja consentir que en el papel o título tu nombre está ahí, es el espejismo del país materialista y de consumo, del buen crédito, este es el sitio en donde se te va el sueño y siempre estás pensando si podrás salir a la orilla o peor aún si podrás refinanciar de nuevo para cubrir tus nuevas deudas, donde le pides a Dios aprender del pasado reciente, donde la vida y el destino te dan la oportunidad de volver a empezar… a endeudarte!

Forbes nos da este dato que consiste en saber el porcentaje de dueños de casa que la tienen pagada, está por países, busquen a Estados Unidos.

Free-and-Clear Homeownership Rate of Households

1. Lithuania = 83%
2. Slovak Republic = 69%
3. Hungary = 68%
4. Slovenia = 68%
5. Poland = 66%
6. Greece = 63%
7. Latvia = 61%
8. Italy = 60%
9. Estonia = 57%
10. Japan = 48%
11. Spain = 48%
12. Chile = 45%
13. Ireland = 43%
14. Portugal = 43%
15. Luxembourg = 42%
16. Korea = 41%
17. France = 37%
18. Belgium = 35%
19. Finland = 34%
20. United Kingdom = 33%
21. New Zealand = 32%
22. Austria = 30%
23. Australia = 29%
24. Canada = 28%
25. Germany = 27%
26. United States = 23%
27. Denmark = 11%
28. Netherlands = 9%

Source: OECD (2022), Housing Taxation in OECD Countries, OECD Tax Policy Studies, No. 29, OECD Publishing, Paris.

3- Los que compran una propiedad y la pagan.

Este tipo de persona son los enfocados. Estas personas son las que sacrifican muchos placeres personales y familiares para ahorrar lo más posible y pagar con esos ahorros la deuda de la casa. La gran mayoría de estas personas son muy estructurados y tienen un buen presupuesto financiero. Tienen solo lo necesario y no gastan en nada que no necesiten, su objetivo es pagar la deuda y todo lo demás no me importa…que el mundo gire, yo sigo en lo mío.

Recuerdo mucho a una pareja que estaba haciendo todo lo posible para pagar su casa lo más rápido que se pudiera. Toda su energía era salir de la deuda, todo su enfoque estaba en pagarle al banco ese préstamo al 6.5% de interés que habían adquirido, era un préstamo para 30 años y ya tenían 2 años pagando, escucharon que existía una opción de bajar aún más el tiempo del préstamo a 15 años en lugar de los 30 que ya tenían, vinieron a mi oficina y hablamos sobre eso: --- Efectivamente existe este préstamo de 15 años, cuando usted lo adquiere en la mayoría de las veces el interés baja pero los pagos suben, entre menos tiempo a pagar más altas las mensualidades.

--- No me importa que suban los pagos, me dijo el hombre, ---ya estamos mandando dinero extra al principal, ya con el solo hecho de hacer esto de mandarle extra es como si nosotros mismos nos hubiéramos aumentado el pago, así que "píquele" a la computadora y dígame si vamos a calificar o no para los 15 años.

Este procedimiento es un refinanciamiento, el banco cambia el contrato original, cambian los términos y por ende también cambia el resultado para las partes.

Mi cliente fue aprobado por el banco y muy contento se fue sabiendo que le había "tumbado" muchos años a la deuda. 5 a 6 años después me llamó. Estaba extremadamente contento,

--- El mes que viene voy a mandar mi último pago de la casa, después de refinanciar le seguí mandando extra al principal y en lugar de pagarla en 15 años ¡La voy a pagar en menos de la mitad del tiempo!! ¡Ahora ya me puedo morir tranquilo sabiendo que no le debo dinero a nadie!

--- Estoy muy contento por usted le dije, ¿Ahora me llama porque quiere rentar esta casa ya pagada y comprar otra?

--- ¡Que! ¡Está usted loco! Acabo de salir de una deuda y, ¿Usted quiere que me meta a otra? ¡Ni lo piense! Por fin mi esposa y yo vamos a dormir tranquilos, ahora ya puedo decir que la casa es mía, jamás volvería a meterme en otra deuda. El motivo que nos movió a pagar esta casa rápido son nuestros hijos, ahora si podremos ahorrar las mensualidades de la hipoteca de la casa y asegurarnos que nuestros hijos vayan a la universidad.

¡Cuánta disciplina! Puras sopas instantáneas para no gastar en el restaurant, de esas sopas que compras como 100 por $10 dólares, los hijos, el bulto y quizá hasta el freno de mano compraban ropa de segunda, el más grande estrenaba y los más chicos a darle de nuevo uso a la ropa que al mayor ya no le quedaba, los libros del que iba adelante en la escuela le servían al otro, jamás tuvieron mascota, ¿cómo crees? seria otra boca que mantener, y el descanso solo lo tendría el bulto hasta que se muera, porque de vacaciones o salir a descansar ni hablemos.

Como dijo una persona que conozco: Mis respetos para esta pareja. Qué bonito es saber lo que quieres, pero más bonito es saber lo que quieres y lograrlo. Esta pareja tuvo arranque de caballo y nunca frenó. Desde que compraron la casa sabían que la querían pagar rápido y lo consiguieron. Pensé en los hijos de ellos, ¿Qué impacto tendría en estos chicos esta manera de comportarse de sus padres con respecto a la deuda?

4- Los que pagan una propiedad y buscan algo más…más inversión.

Este es el lugar de las personas que tienen desarrollado el estómago para asimilar más riesgo, este tipo de gente entiende más claramente que los bienes raíces son para hacer dinero, quieren crecer financieramente hablando, buscan ampliar su portafolio y saben que de llegar a lograrlo su retiro económico está asegurado. Algunas de las frases favoritas de este tipo de persona son: Yo no quiero depender económicamente de nadie, ni del seguro social y mucho menos de mis hijos, El que no arriesga no gana, prefiero poquito todos los días que mucho una sola vez, los bienes se hicieron para remediar los males…así que hay que tener muchos bienes y esperar no tener males.

Entender el juego y el sistema de Estados Unidos es esencial para sobresalir en esta posición. Aquí es donde tienes que estudiar, leer mucho, asistir a seminarios y conferencias, también este tipo de personas se relacionan con profesionales que saben lo que ellos no, **invertir dinero en el cerebro y dejar que con lo aprendido, el cerebro te regresa con altos intereses la inversión hecha hacia él.**

Aquí es en donde están y se forman los millonarios. Aquí es donde se buscan y se tienen mentores.

Tener más propiedades como inversión es el objetivo principal de este tipo de personas. Afortunadamente siempre va a haber inquilinos, que ellos, los inquilinos paguen mis necesidades. Prefieren que el dinero trabaje para ellos y no ellos para el dinero.

Para este tipo de personas los inquilinos son los que pagan sus gustos, sus vacaciones, el colegio de los hijos, los autos, la ropa que visten, las inversiones que hacen, en fin, este tipo de personas usan a los inquilinos para crear sus fortunas.

Pero deben tener mucho cuidado, he conocido a muchas personas que se aventuran a jugar al inversionista y resulta que se convierten en empleados de su propia compañía, el lidiar con los inquilinos se convierte en una pesadilla y terminan regresando al tipo de persona número 3.

Estoy seguro de que te gustaría convertirte en la persona número 4. Déjame contarte algo que puede ayudarte a decidirlo.

Cierto día me encontraba trabajando en mi oficina de préstamos hipotecarios, estaba llegando el fin de mes... tenía que cerrar varios préstamos y así poder cumplir con las fechas de los contratos. De pronto se empezó a escuchar mucha gente que venían rumbo a la sala de conferencias de la oficina. El presidente de la empresa se acercó y me dijo:

--- Necesito que me acompañes a esta reunión que tendré con el mejor y más grande inversionista que tenemos en la empresa, es nuestro mejor cliente y cada vez que el viene invierte millones de dólares en bienes raíces... ven conmigo quizá aprendas algo, solamente escucha y no comentes nada, no quiero que un comentario fuera de lugar o un comentario con falta de conocimiento nos arruine la transacción.

--- ¡Dios mío no te pido que me des, pero si te pido que me pongas donde hay! fue lo que pensé... llegué de prisa a la sala de reunión. Lo que ahí aprendí cambio mi vida para siempre.

El inversionista es de origen japonés y en ese momento era dueño de más de 2,000 propiedades en el estado de California, su visita se debía a que quería utilizar la plusvalía o "equity" que tenía en sus propiedades para volver a invertir en bienes raíces. Fue una reunión de casi 3 horas, pero yo sentí que fueron 10 minutos, fue de esas veces que está tan interesante el tema que no quieres que termine. El inversionista se puso de pie indicándonos que ya había terminado la reunión, cuando pasó por donde yo me encontraba me saludo muy cordialmente, hizo la tradicional reverencia, inclinó un poco su cabeza y después mirándome a los ojos me dijo:

--- Usted no hizo ningún comentario durante la reunión, ¿Tiene algo que decir?

--- Sí, le contesté… Quiero aprender a invertir en bienes raíces de la misma forma que usted, ¿Qué es lo que tengo que hacer primero?

--- Pues comprar una casa. Esa fue su respuesta al mismo tiempo que soltó una carcajada… todos en la sala se rieron también. Luego me dijo:

--- El inicio de la riqueza es tener una casa pagada, cuando usted consiga eso le diré el siguiente paso.

Salió de la oficina y yo me quede con una nueva meta que cumplir.

Para el tipo de persona número 4 el tener una casa pagada es un error, el inversionista me dijo que el inicio de la riqueza es tener una casa pagada, pero en la reunión el inversionista japonés vino a "sacarle" dinero a sus propiedades pagadas para seguir invirtiendo.

Cuando tienes la casa pagada y no utilizas el dinero que ya tienes, entonces tener la casa pagada es un error. Es tener dinero echado a perder, dinero podrido. Mira, si vendes la propiedad haces dinero por la venta, pero te quedas sin la casa, aunque también existen estrategias para vender tu casa principal cada 2 años. Si vendes tu residencia principal después de haber vivido en ella por más de 2 años ¡Estas libre de pagar impuestos! Esto es una gran estrategia, ¡Si estas casado-a, y al momento de vender tu casa te quedan de ganancia $500,000 dólares o menos no tienes que pagar impuestos! ¡Si eres soltero-a, entonces la ganancia para no pagar impuestos es de $250,000 dólares o menos por cada persona en el titulo que no esté casada! ¿Sabes lo que puedes hacer con ese dinero? ¡Invertirlo de nuevo libre de impuestos! No te imaginas la cantidad de estrategias que les he hecho a mis clientes para amasar una pequeña o una gran fortuna. Otra opción que muchos hacen es un refinanciamiento y obtienes un "cashout" (le sacas dinero mediante el refinanciamiento) este dinero que le sacas a tu casa está sujeto a intereses que tienes que pagar, ¡es un interés por tu propio dinero! Es como decirle al banco: yo tengo cero deudas en mi casa…préstame mi propio dinero a un interés fijo por otros 30 años y prácticamente vuelves a empezar a pagar por algo que ya lo habías pagado. Puede y es una opción, pero no es la mejor desde el punto de vista financiero. Entonces, ¿Cuál será una mejor opción en caso de que no te interese vender? En la reunión descubrí las líneas de crédito abiertas o en inglés HELOC (home equity line of credit) esta es una línea de crédito directamente vinculada a la plusvalía de tu casa, para que realmente funcione tiene que ser abierta o "open ended" esto significa que puedes usar el crédito de esta línea igual que una tarjeta de crédito. Si no le debes nada no pagas nada, si tu línea de crédito es por ejemplo de $ 100,000.00 y nunca usas ese dinero pues tampoco tendrás un pago, si usas $ 20,000.00 solo pagaras lo que corresponde a esa deuda, pero aun seguirás teniendo disponible el resto, en este caso $80,000.00 igual que una tarjeta de crédito, pero con un interés más bajo.

Conforme disminuye tu deuda también disminuyen tus pagos y aumenta la cantidad que tienes disponible en la línea de crédito, de esta manera siempre estás en posición de actuar cuando una buena oportunidad de inversión se presente. La gran diferencia de un refinanciamiento y una línea de crédito es la siguiente: en el refinanciamiento el banco te entrega el dinero o plusvalía de tu casa en una sola vez, con un pago e interés en su mayoría fijo y con un plazo también fijo casi siempre es a 30 años, mientras que en la línea de crédito solo usas el dinero que tu retires de ella. Es verdad que el dinero tiene un costo en todas estas opciones, pero algo que saben y conocen las personas número 4 son a los tíos SAM y ROI, el tío SAM te quita dinero cobrándote impuestos y el tío ROI (return on investment o retorno en la inversión) te da dinero. Las personas tipo 4 saben lo importante que es saber utilizar OPM (other's people money o dinero de otra persona) esta otra persona es el banco con su HELOC y se mira más o menos así:

Sacan el dinero $ 100,00.00 de su HELOC (OPM) y el costo en este ejemplo es de 4% de interés anual. Compran una propiedad en efectivo o cash por esa cantidad y la rentan en $ 1,000.00 por mes y calculan el ROI. Cuando calculas el ROI siempre lo tienes que hacer igual que el banco: anualmente.

Tienes que comparar manzanas con manzanas.

Renta de la propiedad = $ 1,000.00 x 12 meses = $ 12,000

La inversión es de $ 100,000.00 y ganas $ 12,000.00 de renta también anual el ROI es equivalente al 12% ($ 12,000.00 de renta anual representa el 12% de tu inversión de $100,000.00)

Si el banco te cobra el 4% y tú ganas con esa inversión el 12% entonces tu ROI neto fue del 8% usaste el dinero del banco (OPM) al 4% para tu ganar el 8% neto (menos tus gastos operacionales)

También recuerda que tus pagos con el HELOC empiezan a disminuir conforme baje tu deuda… lo mejor de esto es que si tus pagos bajan con el HELOC no significa que tú también le tienes que bajar el pago de renta a tus inquilinos, de esta manera tu ROI sigue aumentando mes tras mes, pero con un poco de disciplina y aplicando la "ganancia" mensual directamente a la deuda del HELOC tu ROI es aún mayor y el dinero disponible que vas adquiriendo en el HELOC sigue aumentando también. Mira en la siguiente gráfica lo que pasa en los primeros 2 años:

Mes	Monto de HELOC	Costo mensual	Renta	Diferencia a favor	ROI anual en	Cantidad disponible
Numero	Balance	al 4% anual	Mensual	costo vs renta	porcentaje	en HELOC
1	$ 100,000.00	$ 333.33	$1,000.00	$ 666.67	8.00%	$ 0.00
2	$ 99,333.33	$ 331.11	$1,000.00	$ 668.89	8.08%	$ 666.67
3	$ 98,664.44	$ 328.88	$1,000.00	$ 671.12	8.16%	$ 1,335.56
4	$ 97,993.33	$ 326.64	$1,000.00	$ 673.36	8.25%	$ 2,006.67
5	$ 97,319.97	$ 324.40	$1,000.00	$ 675.60	8.33%	$ 2,680.03
6	$ 96,644.37	$ 322.15	$1,000.00	$ 677.85	8.42%	$ 3,355.63
7	$ 95,966.52	$ 319.89	$1,000.00	$ 680.11	8.50%	$ 4,033.48
8	$ 95,286.41	$ 317.62	$1,000.00	$ 682.38	8.59%	$ 4,713.59
9	$ 94,604.03	$ 315.35	$1,000.00	$ 684.65	8.68%	$ 5,395.97
10	$ 93,919.37	$ 313.06	$1,000.00	$ 686.94	8.78%	$ 6,080.63

	$	$		$		$
11	93,232.44	310.77	$1,000.00	689.23	8.87%	6,767.56
12	92,543.21	308.48	$1,000.00	691.52	8.97%	7,456.79
13	91,851.69	306.17	$1,000.00	693.83	9.06%	8,148.31
14	91,157.86	303.86	$1,000.00	696.14	9.16%	8,842.14
15	90,461.72	301.54	$1,000.00	698.46	9.27%	9,538.28
16	89,763.26	299.21	$1,000.00	700.79	9.37%	10,236.74
17	89,062.47	296.87	$1,000.00	703.13	9.47%	10,937.53
18	88,359.35	294.53	$1,000.00	705.47	9.58%	11,640.65
19	87,653.88	292.18	$1,000.00	707.82	9.69%	12,346.12
20	86,946.06	289.82	$1,000.00	710.18	9.80%	13,053.94
21	86,235.88	287.45	$1,000.00	712.55	9.92%	13,764.12
22	85,523.33	285.08	$1,000.00	714.92	10.03%	14,476.67
23	84,808.41	282.69	$1,000.00	717.31	10.15%	15,191.59
24	84,091.10	280.30	$1,000.00	719.70	10.27%	15,908.90

El dinero trabajando sin descanso para ti, tu inversión ganando intereses y muy superiores a los que el banco te ofrece en tu cuanta de ahorros. En este ejemplo te tomaría 10.1 años pagar la deuda original de $100,000.00 con dinero de otros (OPM)!! Sin tener que usar un solo centavo de los ingresos de tu trabajo.

(Suscríbete a mi canal de YouTube en donde tengo un video explicando cómo utilizar el HELOC)

En este momento me siento obligado a decirte que ésta tabla de amortización es muy sencilla, ya existe en el mercado **tecnología muy avanzada para pagar aún más rápido la deuda, sin tener que cambiar tu estilo de vida, sin que te aumenten los pagos, sin que tengas que refinanciar, sin que cambies de banco y de esta manera hacer de tus ganancias un retorno mucho más lucrativo que la que te acabo de mostrar.

**(al final de este libro está mi información para que te comuniques conmigo si te interesa conocer de esta tecnología)

CAPITULO VI

Verdades que Dan Risa...a Veces

Yo en lo personal no creo en la frase: dinero llama dinero. He podido comprobar que no es así, lo que si se, es que cuando tienes dinero muchas de las preocupaciones cotidianas desaparecen, tienes menos estrés y esa sensación de seguridad económica hace que pienses con menos presión y busques nuevas oportunidades para hacer crecer tu dinero. Estoy convencido de que mi formula de: Educación + Oportunidad x Acción = Éxito, aplica para muchas cosas entre ellas el éxito financiero.

Es muy común que las personas se encariñen con la casa, en ocasiones tienen más afecto por la propiedad que por lo que ésta significa financieramente para ellos, ¡Tal parece que tienen más aprecio por la casa que por el conyugue, por el bulto! Yo tengo ya

25 años siendo el "bulto" de mi "freno de mano", así que tanto ella como yo nos ganamos a consciencia este cariñoso distintivo.

En el año 2010 me encontré con la flor natural más cara de la historia, era un rosal con un costo aproximado de $200,000.00 dólares más intereses.

Esa mañana llegó a mi oficina la dueña de ese rosal, su historia me enseñó mucho y estoy seguro de que también te enseñará a ti. Resulta que había comprado una casa que le gustaba mucho, era su casa ideal, amplia, de un solo piso, muy bien distribuida, cómoda, en el área de la ciudad que a ella más le gustaba. El costo original en el año 2005 fue de $ 450,000 dólares. Pero lo que más le gustaba de esa propiedad era el patio o como le llaman aquí "la yarda de atrás" tenía un jardín hermoso, árboles frutales, diferentes tipos de flores y un rosal precioso en el centro. Ese rosal era el motivo de su orgullo, era el centro de atención en las reuniones y carnes asadas los fines de semana, en fin, ese jardín, pero sobre todo ese rosal rojo era para ella el equivalente a los jardines colgantes de Babilonia. La señora estaba desesperada porque al igual que a miles de personas en todo el país a su esposo lo habían despedido del trabajo durante la recesión del 2008 y a ella le bajaron las horas laborales a sólo 2 días de trabajo por semana. Ya tenían varios meses en esa situación y los ahorros que tenían ya se les estaban acabando porque los utilizaban para pagar la hipoteca y sus gastos cotidianos. Ella junto con su esposo escuchaban mi programa de radio sobre bienes raíces y querían que yo les diera una opinión sobre las opciones que tenían para resolver su situación de vivienda. Les di varias opciones, también les dije que la devaluación inmobiliaria los había afectado a tal punto que su casa ahora tenía un valor de $220,000. Estaban "bajo el agua" o devaluados más de $200,000. Su propiedad se había devaluado más del 50%.

Dentro de las opciones que ellos tenían existía una que en ese momento era muy popular. El Short Sale o venta corta. Esta consiste en que se venda la propiedad por el valor actual del mercado y no por la deuda existente (tiene que ser aprobada y negociada por el banco) ellos en ese momento tenían una deuda con el banco por un poco más de $420,000. Los bancos estaban mirando como una buena alternativa al embargo este tipo de venta, además el gobierno también estaba ayudando a que los dueños de la casa se quedaran sin la diferencia de la deuda, en otras palabras, se quedaban sin la casa, pero también se quedaban sin la deuda. En este ejemplo venden su casa por el valor actual de $220,000 y les perdonan la deuda de $420,000 ahorrándose la diferencia de $200,000. El esposo "el bulto" miró esto como una salida favorable, lo miró como un negocio financiero de $200,000 a su favor…. Pero la esposa "freno de mano" lo miró de otra forma.

--- ¿Me están diciendo que me voy a tener que deshacer de mi rosal? ¿Ustedes saben cuanta dedicación, tiempo y dinero le he puesto a ese jardín? Luego se dirigió al bulto:

--- Chuy, tú te quedas mirando el futbol en la tele mientras que yo paso horas y horas arreglando mi jardín y mi rosal y, ¿Ahora me dices que están considerando vender? ¿Estás loco Chuy?

--- Mira mujer, le dice el esposo, es una decisión meramente financiera, ya no podemos pagar más la hipoteca, se nos acabaron los ahorros, no tenemos el mismo ingreso y además nos van a perdonar el total de la deuda…tenemos que hacerlo y cuando nos volvamos a recuperar compramos de nuevo.

Ese comentario del bulto fue casi como si le hubieran mentado la madre al freno de mano, se puso histérica,

--- ¡Jamás venderé mi jardín Chuy! ¿Me escuchas? Ese rosal es el que me quita el estrés y, ¿Tú no me quieres ver estresada verdad? ¡Chuy me cae de a madres que a ti no te conviene verme estresada!

--- Señora, le dije ... creo que su marido esta vez tiene la razón, este rosal le está costando más de $200,000 si toma en cuenta los intereses que tiene que pagar, mire le propongo 3 cosas:

1- Considere con calma y con la cabeza fría esta opción.

2- Si decide vender yo mismo me comprometo a desenterrar el rosal, ponerlo en una maceta y llevárselo a su nueva residencia.

3- Si tanto le gusta su jardín, ¿Por qué no le toma una foto y se la lleva de recuerdo? ¡Estamos hablando de más de $200,000 dólares!

La mujer se soltó en llanto, estaba desesperada y muy triste.

--- Mírame bien Jesus, si tu vendes la casa, te advierto que me voy. Sabes que te lo digo es serio, tú que la vendes y yo me salgo… ¡Hasta nunca Chuy!

Al final ella convenció al marido de no vender, se quedaron con la casa, modificaron el préstamo con el banco para pagar los $420,000 de deuda en 40 años en una propiedad que solo valía $220,000.

El rosal muere todos los inviernos y florece todas las primaveras. El futuro sin deudas hipotecarias para esta pareja se mira a 40 años de distancia, si terminan de pagar la casa ella tendrá un poco más de 80 años y el mas de 90, no hay cuerpo que aguante tanto castigo. Lo peor es que es que la propiedad durará mucho para que vuelva a valer los $450,000.00 iniciales. Yo descubrí el rosal natural más caro de la historia y aprendí 2 cosas ese día:

1- Un freno de mano sin estrés hace a un bulto feliz… quiero pensar que serán viejos, pobres, pero felices.

2- Lo que es bueno para mi puede ser malo para ti.

El uso de las cosas

Cuando se trata de comprar o vender el comprador quiere comprar barato y el vendedor quiere vender caro. Esta es una constante en todo y en bienes raíces no es la excepción. El valor de una propiedad está vinculado íntimamente a cómo y en cuanto se están vendiendo las propiedades en esa misma área o en la subdivisión. Tenemos que tomar en cuenta varias cosas como el año de construcción, los pies cuadrados de la propiedad, dimensión del terreno etc.

Si tu casa es la más grande de toda esa subdivisión, si es la que tiene más recamaras, más baños, más pies cuadrados de construcción, más terreno, es muy posible que sufras de "regresión" eso significa que tomando en cuenta que las propiedades valen por lo que se venden en esa área tu casa se "ajuste" de precio o valor hacia abajo, esto es porque la gran mayoría de las propiedades cerca de ti son más chicas que la tuya y el valor del mercado lo están dictando esas ventas de esas casas. Por lo contrario, si tienes la casa más chica de la subdivisión o del área entonces tu casa se va a "ajustar" de precio hacia arriba, esto es porque la mayoría de las casas en tu área están mejor que la tuya o más grandes y también están dictando el valor de ese mercado. En resumen, compra la casa más chica en la mejor área que puedas.

Algo que muchas personas no toman en cuenta al momento de vender o cotizar el precio de una casa es: El uso de las cosas.

Este concepto lo aprendió un cliente mío de una manera muy peculiar. Me llamó para decirme que quería que yo lo representara en la venta de su casa, no solo estaba dispuesto a vender, sino que también sabia el precio en el que quería vender la propiedad, me dijo que quería vender su casa en $340,000.00

Le pedí la dirección de su propiedad para hacer un análisis de mercado y para poder también yo determinar o darme una idea de cuál era el precio que dictaba su área en ese momento, le dije que le llevaría mi conclusión a su casa y también que aprovecharía para mirar las condiciones de ésta. Pactamos que nos miraríamos en su casa ese mismo día a las 7:00pm. Cuando terminé mi análisis del valor de la casa consideré que la propiedad tenía un valor en el mercado de $290,000 esto era $50,000 menos de lo que mi cliente quería... Este es un caso típico de que el vendedor quiere vender caro pensé.

Cuando llegué a la cita con mi cliente le di el resultado y casi se fue de espaldas por la impresión.

--- Creo que usted está equivocado, me dijo. ---Mire, mi vecino acaba de vender la semana pasada precisamente en ese precio de $290,000 si usted mira, es exactamente el mismo modelo de casa que la mía, tiene los mismos pies cuadrados de construcción, el mismo tamaño de terreno, el mismo año de construcción, al igual que mi casa también tiene piscina, es más, está idéntica en todo.

--- ¿Entonces? Le dije, ¿Por qué usted cree que su casa vale $50,000 dólares más que la de su vecino si están iguales?

--- Las propiedades están iguales en dimensión, pero la mía esta mejor. El vecino tiene una piscina que le costó $20,000 instalarla, mi piscina está más cara, me costó casi $40,000 dólares, tiene cascada, piedra integrada y es más grande. La cocina del vecino es "normal" la mía tiene granito por todos lados, la alfombra del vecino es de la que venía al momento de construcción, mi casa tiene una alfombra nueva de las más caras, y el baño…tienes que ver mi baño… El de mi vecino es un baño común y corriente, mis baños porque son 2 tienen piso de mármol, la taza es de las mejores me costaron casi $400.00 dólares cada una, mire usted los lavabos son de los modernos…las llaves son de acero inoxidable ¡Están como nuevos! Me gasté más de $15,000 dólares entre los baños y la cocina. Por eso estoy seguro de que mi casa vale $50,000 dólares más que la de mi vecino.

Efectivamente la casa tenía todo eso, estaba muy bonita, muy cómoda y muy bien decorada. Entonces le dije:

--- Todo lo que usted me indicó es cierto, pero su casa sigue valiendo $290,000.00 es lo que dicta el mercado. Su casa está más apetecible que la del vecino por todo lo que ya mencionó y es muy posible que se venda más rápido, pero "el uso de las cosas" no cambia el valor o si lo cambia es muy poco.

--- ¿El uso de las cosas? Explíqueme eso por favor porque jamás lo había escuchado.

--- Con mucho gusto. La persona que va a hacer el avalúo va a tomar en cuenta el valor de las casas que ya se vendieron en este mercado, considerando todos los "arreglos" que usted le hizo a su casa el tomara en cuenta el uso de estos arreglos.

El hombre me miró con cara de estar más confundido que Adán en busca de su ombligo, cuando me percaté de esta confusión le di una explicación más directa.

--- El uso de las cosas dicta su valor. ¿Usted me puede demostrar que va a nadar diferente o mejor, o que se va a "echar" un clavado mejor en una piscina de $40,000 que en la piscina de $20,000 de su vecino? Usted va a nadar con el mismo estilo en cualquier piscina, se va a echar el mismo panzazo, entonces el uso es el mismo…nadar.

¿Usted me puede demostrar que su esposa va a picar la cebolla diferente en su cocina de granito que en la tabla en la cocina del vecino? La cebolla la va a picar y hacer llorar igual… El uso es el mismo.

¿Usted me puede demostrar que va a caminar diferente en la alfombra corriente de su vecino que en la alfombra carísima de su casa? Va a caminar igual…El uso es el mismo.

Y, por último, ¿Dígame usted si sus gestos, sonidos, quejidos, alivios, sufrimientos y los olores que usted va a dejar van a ser diferentes cuando se siente en una taza de baño con un valor de $400 dólares a que se siente en la taza de baño corriente que tiene su vecino? Le aseguro que "el orden de los factores no altera el producto" sus gestos, sonidos, quejidos, alivios, sufrimientos y olores serán los mismos… entonces el uso en la taza del baño es el mismo.

Los arreglos que usted hizo no determinan el valor.

La casa esta cómoda y a su gusto personal, definitivamente se va a vender más fácil, eso no significa que vale $50,000 más que la de su vecino, están idénticas, en la misma área.

El cliente se puso pálido y empezó a sudar frio, quería saber con exactitud cuál era el valor de su casa, le perdió el amor a $300 dólares y ordenó un avalúo, se determinó que la casa tenía un valor en el mercado de $298,000 (por los arreglos) le fallé por $8,000. En ese momento decidió no vender, mejor quiso esperar a que el área subiera de valor un poco más y así poder vender a un precio más alto.

Meses después pudimos vender la casa por $310,000. Lo curioso o chistoso de esto no fue de como este cliente aprendió del uso de las cosas, resulta que al nuevo dueño le daba alergia la alfombra y antes de cerrar la transacción ya tenía acumulado en el patio de su futura casa el piso de madera que pondría en lugar de la alfombra tan cara que el vendedor había instalado, además de que el granito en la cocina no era del color adecuado que hiciera juego con el piso de madera… ¡También lo cambio!

Después de esta venta la historia termina con mi cliente comprando otra casa, junto con su esposa encontraron la propiedad que consideraron la casa de sus sueños. Cuando ya estaban en su nueva casa volvió a cambiar la alfombra por piso de madera y también le puso granito en la cocina, sabía que solo lo estaba haciendo para estar cómodos…los baños los dejo tal y como los encontró… no les invirtió ni un solo centavo, los dejo sin cambios.

Contigo o sin ti.

Resulta que en el año 2009 llego a mi oficina una señora Mexicana, como suele suceder con muchos de mis clientes me empezó a contar parte de su vida, me dijo entre muchas otras cosas que ella y su familia ya tenían 15 años viviendo aquí en Estados Unidos y que jamás habían comprado una casa porque el bulto no la apoyaba, así que después de escuchar mi programa de radio por varios meses y de asistir a un par de mis conferencias, decidió ir a verme para que yo le dijera lo que tenía que hacer para poder adquirir una propiedad.

--- El estado de Nevada son de bienes mancomunados, le dije. Necesitamos al bulto para que usted pueda adquirir la propiedad. Una de dos, o el bulto le ayuda a calificar para el préstamo o de no ser así él le tiene que firmar un documento en donde le cede los derechos de propiedad a usted solita, una vez terminada la transacción si usted lo quiere agregar al título está bien.

La mujer se miró un poco angustiada,

--- El bulto no va a querer hacer ninguna de las 2 cosas, ya me dijo que eso de comprar casa aquí es negocio que no deja, que es mejor enviar el dinero a México para construir allá. Yo creo, y ya le dije a mi esposo que ya no nos vamos a ir, nuestros hijos están aquí y a ellos no les gustaría irse a vivir a México, yo me quedo en donde están mis hijos.

--- A mí no es a la persona que tiene que convencer señora, usted tiene que hablar con el bulto y por favor déjeme saber cuál fue su decisión.

Pasaron varios días y de nuevo llego la señora a mi oficina, esta vez muy segura y contenta, ella le dijo al bulto que compraría la casa con o sin él, y le dio a conocer las 2 opciones. El esposo le dijo que para que ella aprendiera una lección le firmaría el documento donde le cedía todos los derechos de la casa pero que no contara con él para nada. Ella lo tomó como un reto personal y así fue como llegó a mi oficina. En cosa de 2 meses yo le estaba entregando las llaves de su casa, ¡El freno de mano lo había logrado! Ese día ella junto con sus 3 hijos se miraban felices, el bulto ni siquiera apareció.

Yo tengo la costumbre de regalarle un análisis financiero a todos mis clientes en donde les enseño a cómo pagar sus casas de una manera muy rápida y usando las matemáticas, en promedio mis clientes pagan sus casas en 5 años en lugar de 30. Pues ésta señora no fue la excepción, tenía su autoestima muy alta después de haber conseguido ella sola el objetivo de comprar su casa, también se puso como reto pagarla lo más rápido que se pudiera. La historia tiene un final feliz para ella y no tanto para el bulto. Resulta que ella en su experiencia reciente se dio cuenta de que no necesitaba al bulto para alcanzar sus metas, que la falta de apoyo de su esposo le seguiría deteniendo de realizarse como persona. El bulto en cambio miro como un desplante a su autoridad como jefe de familia lo acontecido y surgieron los problemas, afloró en él la inseguridad y también el recelo, como le dijo desde el principio que no contara con él para nada, pues no la apoyo en nada. Terminaron divorciados. El siguió rentando y ella forjando su patrimonio. Casi 7 años después llega de nuevo la señora a mi oficina, esta vez para decirme que su casa estaba completamente pagada gracias a mi sistema y que ahora venía para que yo le desarrollara una estrategia de crecimiento. Hicimos números, le expliqué lo que significa el tío ROI, le enseñé como apalancarse en su dinero, como usar OPM y creamos una estrategia para hacer crecer su portafolio. Junto con ella, esta vez traía a la reunión a otro cliente para que también yo la representara, era su hija mayor, soltera de 20 años, que miró lo que su madre había logrado y quería seguir sus pasos, sabia con toda certeza que también ella lo lograría y que no ocupaba de nadie para cumplir sus metas y objetivos. El ejemplo de HACER en lugar de DECIR tiene un alcance mucho más profundo entre padres e hijos.

Esta señora ahora está sentada en un patrimonio de más de $1, 000,000 (un millón) de dólares, recibe más de $4,000 dólares libres al mes por concepto de rentas y está proyectada a estar libre de deudas en menos de 10 años. La hija tendrá su primera casa pagada para el verano del 2024. Se preguntarán que fue del bulto, pues resulta que ahora es el inquilino de su hija y le paga la renta, su hija aún vive con su mamá, el bulto se volvió a casar y no se mira que pronto compre una casa.

Falta de información. Mala información. ¿Fraude?

Este tema definitivamente me cuesta trabajo abordar. Me cuesta trabajo porque me da vergüenza. Como ya mencioné, existen muchos "profesionales" hispanos que cometen fraude con su misma gente. Lamentablemente si existe mucho fraude hipotecario, me da vergüenza aceptar que son hispanos defraudando a hispanos. Pero ¿De quién es, o sobre quien recae la culpa? ¿Del que da la información equivocada, información falsa? O ¿La culpa es de quien acepta sin tener o entender la información?

En la escuela de bienes raíces me dijeron que el fraude es hacer "algo" sabiendo que está fuera de la ley. Es la intención. Pero eso de la intención tiene que ser demostrado.

Es como decir: ponte de pie y de espaldas en esa pared, ahora ponte una manzana en la cabeza, a continuación, te voy a lanzar con mi brazo una roca para tumbarte la manzana de la cabeza, le tiras la piedra con toda tu fuerza y le pegas justo en la frente, entre ceja y ceja. Luego le pides disculpas por el golpe porque la "intención" fue atinarle y tumbarle la manzana, la "intención" nunca fue desfigurarle el rostro, eso fue porque te falto puntería.

Dar mala información o información equivocada simplemente porque no sabes no constituye fraude, eso es mala representación. Pero… ¿Cómo poder probar que el que dio la información no sabía? ¿Cómo poder probar que el que recibió la información la entendió mal? ¿Por ética?

Cuando llegas a instancias legales o frente a un juez…. El documento que firmaste es el que vale, pruebas palpables, papelito habla. Precisamente un juez me dijo una frase que me marco para siempre y que sin el permiso de ese juez esa frase la hice mía y la digo a cada rato:

LA IGNORANCIA NO SE DEFIENDE EN CORTE.

De una manera muy sarcástica yo he dicho que la gran mayoría de los clientes latinos que van a comprar una casa tienen dos preguntas al momento del cierre:

1- ¿De cuánto me quedo el pago mensual?

2- ¿Cuándo me puedo mover a mi nueva casa?

Aunque son preguntas importantes no deberían ser las únicas. Para ese momento del cierre ya no deberían tener esas preguntas, el momento del cierre es para corroborar todo lo que el banco o agente de préstamos hipotecarios te dijo, y que ya no tienes dudas al respecto. Me he encontrado infinidad de veces frente a personas que vienen a mi oficina o me llaman al programa de radio para posibles opciones de venta, compra, refinanciamiento, cashout, etc. Estas personas ya son dueños de casa y cuando les pregunto: ¿qué tipo de préstamo tienen? No saben. Si les pregunto qué tasa de interés le están pagando al banco, si ese interés es fijo o ajustable, si su pago tiene incluido el "escrow" o depósito, si tienen un préstamo amortizado y por cuanto tiempo, o un préstamo tipo "balloon" … ya eso es mucho pedir. Me dicen que no saben porque a esas cosas no le entienden, por eso están aquí conmigo para que les diga…pero ya en ocasiones es demasiado tarde, ya pasó.

En una ocasión una mujer muy humilde y sin saber hablar el idioma inglés se comunicó conmigo a mi oficina, me dijo que estaría frente al juez y junto con un abogado para demandar a un agente de préstamos hipotecarios. Este agente de préstamos según ella le había cometido fraude, la había engañado, jamás le dijo que el préstamo que le dio tenía una tasa de interés ajustable, de haber sabido que el interés y el pago de la "renta" le iban a subir o a cambiar cada 6 meses no hubiera aceptado el préstamo. Además, según ella, el agente le dijo que comprar una casa con un seguro social falso estaba permitido por el banco (la mujer era turista permanente, estaba indocumentada). Cuando le dije que comprar casa con un préstamo dando información ilegitima y de pilón con un seguro social falso era fraude federal se puso nerviosa.

---Pero créame yo le dije todo eso al "prestamista" esta persona me defraudo, me dijo que no habría problema.

Llegué a la sala de la corte con mucha curiosidad de ver como el juez actuaría en este caso. Miré en el rostro de la señora que ella estaba hablando con sinceridad, también miré al acusado, al agente de préstamos que junto con su abogado estaban bastante tranquilos.

Papelito habla… pensé, vamos a ver cuál de los dos papelitos sale más hablador.

Llegó el juez, nos pusimos todos de pie por órdenes del guardia para recibirlo. El honorable juez empezó su día de trabajo con muchos casos y de diferentes tipos, por fin después de casi hora y media de espera le llegó el turno a la señora, pasaron todas las partes y el juez resolvió el caso en cosa de diez minutos o menos.

El abogado de la mujer empezó su argumento, no llevaba ni siquiera un minuto hablando cuando el juez lo interrumpió y le hizo la pregunta:

--- ¿Señora usted sabe inglés?

--- No señor juez, no sé. Contesto la angustiada mujer. En ese momento el juez pidió a una persona que tradujera a la señora:

--- ¿Es ésta la firma de usted? Le preguntó el juez apuntando con el dedo la firma que estaba impresa en el documento.

---Si señor juez, esa es mi firma.

--- Entonces ¿Por qué firmo usted este contrato si no entiende lo que ahí se dice? ¿Alguien le tradujo el documento?

--- El señor del préstamo me dijo que firmara ahí y pues yo lo hice.

--- ¿Usted me firmaría un documento escrito en chino, japonés o alemán? La mujer espero unos segundos para que le tradujeran lo que el juez le estaba preguntando, cuando por fin terminaron la traducción ella contesto:

--- No su señoría, no los firmaría porque no entiendo lo que ahí se dice.

--- ¡Exacto, buena respuesta! Contestó el juez, y continúo diciendo. --- Que esto le sirva de lección para la próxima vez que firme usted cualquier clase de contrato. No tiene argumentos válidos para esta demanda. Caso cerrado.

El juez no escuchó que la mujer estaba viuda y sin nadie para ayudarle, tampoco escuchó que porque le subieron los pagos tuvo que buscar otro trabajo de medio tiempo para poder cumplir con el nuevo pago, no le dio oportunidad de explicar que se sentía engañada. Por suerte el juez no mencionó nada sobre la compra con un seguro social falso, de haberlo hecho la señora hubiera terminado presa y seguramente deportada. Esto me lo confirmó después un abogado de bienes raíces, me compartió varios casos sin mencionar nombres de personas que terminaron en la cárcel y con deportación pendiente o deportados por haber obtenido préstamos con seguro social falso.

Por el otro lado el agente de préstamos que era hispano ni siquiera hablo con el juez, no fue necesario. Era la firma del cliente en un documento bancario legal contra la versión de no haber escuchado o entendido qué era lo que estaba firmando. La mujer salió aturdida de ahí, aun no alcanzaba a comprender lo que acababa de pasar. Salí justo en el momento cuando su abogado le decía que posiblemente la bancarrota seria su último recurso.

--- Si decide hacer la bancarrota con nosotros le aseguro un descuento en nuestros honorarios. Por favor tome de nuevo mi tarjeta y estoy a sus órdenes. Se despidió el abogado.

La mujer no lloró. Estaba indignada. Sentía que se habían aprovechado de su ignorancia.

--- Que me sirva de lección para que no me vuelva a pasar, ¡Para que se me quite lo pendeja! Decía una y otra vez mientras caminábamos rumbo al estacionamiento.

--- ¡Por favor cuente mi historia en su programa de radio, dígalo tal como fue para que otros miren lo que me pasó y aprendan!

Por supuesto que lo hice. El debate entre los radio escuchas que llamaban a la cabina para dar sus puntos de vista duro casi 1 semana. Cuando yo pregunté en la radio al aire y en vivo ¿De quién era la culpa? Una persona respondió:

---Tanto peca el que mata a la vaca como el que detiene la pata.

--- El agente de préstamos tiene la culpa, decían algunos --- Utilizó el sistema a su favor para ganarse la comisión y se llevó entre las patas a esta persona.

--- El juez actuó dentro del marco de la ley, ella tenía que haber preguntado, es inconcebible que en estos tiempos y con tanta información ella no hubiera podido encontrar a alguien que le tradujera los documentos, decían otros.

Para muchos, comprar una casa en Estados Unidos es la inversión más grande de sus vidas, estás hablando de miles de dólares y también de muchos años de deuda. No podemos darnos el lujo de decir que por no saber inglés se van a aprovechar de nosotros, tampoco podemos decir que cuando se trata de un documento legal o de un contrato bancario lo hacemos por la confianza que nos inspira el profesional. Este tipo de comportamientos por parte del consumidor hace que sea más fácil el fraude y los engaños. Preguntar y preguntar mucho no solo te informa, sino que también te quita el miedo. El no preguntar por pena o por vergüenza o peor aún no preguntar por no escucharte tan "tonto" solo refuerza eso que dicen los maestros en la escuela: No hay preguntas tontas, pero si hay tontos que no preguntan.

En esos días que duro el debate todos aprendimos mucho, diferentes puntos de vista, algunos a favor de ella otros en contra, con sentimientos encontrados, no fue claro quién era la víctima o el victimario, en algún momento de la discusión también ella fue el victimario, el monstruo del cuento. La razón fue porque hay muchos que si saben y conocen el sistema y lo utilizan con documentos falsos para lograr sus objetivos, si existen personas que saben que eso de utilizar el seguro social falso además de otros documentos inventados está mal, pero según ellos no les queda otra opción y se arriesgan a cumplir el tan anhelado sueño de ser propietario de una vivienda, defienden su postura diciendo cosas como: yo conozco a personas que lo hicieron y no les ha pasado nada o también suelen decir: mientras pagues a tiempo nadie se va a enterar, yo también quiero forjar un patrimonio para mi familia, no importa que cometa fraude, Etc.

El programa de radio terminó ese capítulo con la frase que se ha convertido en una de mis preferidas:

LA IGNORANCIA NO SE DEFIENDE EN CORTE.

CAPITULO VII

¿Utilizar el Sistema, es Estrategia o Miedo?

Muchos no hacemos lo que queremos por miedo. Miedo de no saber, miedo de no entender porque no sabemos el idioma, miedo de que nos mientan o nos cometan fraude, miedo de no conocer en lo que nos estamos metiendo…en fin el miedo paraliza y además se convierte en la excusa perfecta.

Otros por necesidad vencemos el miedo y hacemos lo que tenemos o debemos hacer, por necesidad aprendemos. Una vez que ya sabes, el miedo desaparece, entonces podemos decir sin temor a equivocarnos que: El miedo se quita con conocimiento.

En los terribles años de la devaluación hipotecaria reciente del 2008, miles de personas perdieron sus propiedades. Muchos de ellos tienen verdaderas historias de horror, sufrimiento y desesperación. Los mercados financieros se desplomaron por todo el mundo, cientos de instituciones bancarias se fueron a la bancarrota, miles se quedaron sin empleo, el miedo se apodero de todo el país. Pero en esa desesperación, en medio de ese miedo colectivo se formaron grandes empresas y nacieron muchos millonarios. Mientras miles perdían sus casas o las abandonaban, otros las compraban a precios de subasta, el país entero estaba en oferta y muchos tomaron ventaja de las "especiales". Siempre existe un ganador en la transacción, siempre existe dinero, solo que cambia de dueño. Por lo general el que este más preparado o el que tenga más conocimiento es el que gana.

A finales del 2008, principios del 2009 estábamos en plena devaluación hipotecaria y muchos inversionistas miraron y trataron a esa devaluación como a la bolsa de valores. ¿Los precios están bajos? Hay que comprar. Empecé a dar esa información en mi programa de radio, me pareció coherente decirlo, era un buen movimiento financiero y una manera muy sólida de iniciar un buen patrimonio. Me llamó a la cabina de radio un hombre con una pregunta:

--- ¿Usted está diciendo que es buen momento para comprar? que los precios están muy bajos, pero quiero que también diga al aire en el lío que nos vamos a meter al comprar la casa y no poderla pagar, las empresas están descansando a mucha gente, aún hay cientos o quizá miles de familias perdiendo sus casas, yo la verdad no tengo seguridad en mi trabajo y tengo mucho miedo de comprar una casa, perder mi empleo, no poder hacer los pagos de la casa y luego meterme en problemas con el banco, tengo miedo de terminar en una estadística más.

---Tienes razón en tener miedo, le contesté, Déjame hacerte una pregunta ahora yo. ¿Estás rentando en este momento?

--- Si. Me contestó.

--- Entonces… ¿Qué pasaría con tu contrato de renta si te quedas sin trabajo y dejas de pagar?

--- Pues me sacan del departamento. Respondió

--- ¿Y eso no te da miedo? Porque es casi lo mismo, la gran diferencia es la siguiente: mira, cuando estás en un contrato de renta es muy común que si dejas de pagar dicha renta por 2 meses te saquen de la propiedad, en cambio si compras una casa y dejas de pagarla porque te quedaste sin trabajo y de plano ya no puedes pagar, los bancos tienen que seguir procedimientos que duran mucho más que 2 meses, por ejemplo aquí en Nevada (cada Estado es diferente) legalmente el banco no te puede desalojar de la casa hasta que tengas mínimo 7 meses sin pagarla y en algunos casos dura mucho más tiempo, imagínate la tranquilidad emocional que tendrás sabiendo que por muy mal que te vaya vas a tener un techo para tu familia mínimo por esos siete meses, si durante ese tiempo logras encontrar trabajo es muy probable que puedas negociar con tu banco y llegues a un acuerdo para que permanezcas en tu casa, que no te saquen y lo mejor que no te la quiten.

El hombre escuchó y terminó la conversación diciendo que no estaba muy convencido.

Muchos meses después, años después me llamó otra persona a cabina de radio, me recordó esta conversación que les acabo de contar con ese hombre y me dijo:

--- Hace mucho tiempo escuché que usted le dio una información a un radio escucha, y aprendí de eso. Yo tenía y aún tengo la misma casa, en aquel momento de su programa de radio también yo estaba muy inseguro en mi trabajo, tenía miedo de perder mi empleo y no poder continuar con los pagos de la casa, entonces decidí junto con mi esposa dejar de pagar la hipoteca. Por prevención y por no tener seguridad en el trabajo optamos por no pagar las mensualidades de la casa y ahorrar la renta debajo del colchón. Han pasado más de 3 años sin pagar la casa y aun el banco no nos la ha quitado, tenemos un buen ahorro bajo el colchón y pues ahora nos está gustando esto de vivir gratis, esta situación jamás se hubiera dado si estuviéramos rentando un apartamento o una casa, ¡Gracias por el consejo!

--- ¿Gracias por el consejo? ¡Me colgó el teléfono y me dejó hablando solo, ya no me escuchó!

¡Yo nunca aconsejé eso!

El ingeniero de sonido de la cabina me dijo después que me quedé callado por unos instantes, y eso en un programa en vivo simplemente no se vale, pero efectivamente ya no supe que decir, todos escuchamos que una persona utilizo el sistema y las leyes a su favor, ¿Habría más personas así? Pues aún no terminaba de recuperarme cuando empezó a sonar el teléfono de cabina, muchas personas estaban llamando para decirme cuanto tiempo llevaban sin pagar la casa, fue como si estuvieran concursando para ver quien tenía más tiempo viviendo gratis a costillas del banco:

---Yo llevo 18 meses sin pagar dijo una mujer.

--- ¡Yo ya voy más de 2 años! Dijo otra persona. Y así uno a uno empezó a contar su situación. El récord ese día fue de ¡3 años y 9 meses sin pagar la casa! Unos la dejaron de pagar porque no podían con los pagos, otros porque si podían pero mejor se querían ahorrar ese dinero al fin y al cabo la casa estaba muy devaluada y no les importaba que el banco se las quitara, otros más dejaron de pagar la casa por indicaciones de sus abogados, fueron a ellos para tramitar una bancarrota o modificación y el abogado les aconsejo dejar de pagar la casa, el cliente le hizo caso y ahora el abogado esta "ganando" tiempo con el banco y el cliente feliz viviendo gratis y respaldado por su abogado, otros se fueron a modificar el préstamo,

--- El banco se está tomando muchísimo tiempo para darnos una respuesta y pues aquí estamos sin pagar esperando. Me dijo otro.

Otros salieron más "vivos" dejaron de pagar la casa hasta que el banco se las quitó, pero el dinero ahorrado lo usaron para comprar en efectivo otra casa, unos hasta se sentían orgullosos diciendo que si el banco aun no los sacaba de la propiedad ahí se iban a quedar viviendo gratis hasta que llegara alguien a sacarlos, de todos modos, el crédito ya está arruinado y pues una mancha más al tigre ni se le va a notar.

La información es empleada con el criterio de cada persona, la información es usada con la calidad moral y ética del individuo. Pero no cabe duda de que el estar informado te quita el miedo. Especular es otra manera de tener miedo, muchas personas no compraron casa cuando el mercado llego al nivel más bajo, decían que no compraban porque ¿Qué tal si vuelven a bajar? Mejor me espero a que bajen más de valor para comprar más barato. Las propiedades no bajaron, empezaron a subir y estos especuladores tampoco van a comprar porque quieren ver si es que de verdad están subiendo o van a bajar los intereses, el miedo los tiene en un estado mental paralizado, ni para adelante ni para atrás, ni frío ni calor, ni pichan ni dejan batear.

También existe el miedo al momento de vender tu propiedad, muchos no lo hacen por miedo a no encontrar algo mejor de lo que ya tienen… Siempre hay algo mejor se los aseguro, otros no venden por miedo a los taxes o impuestos, otros tienen miedo de ellos mismos. ¿Qué me pasaría si la vendo y el dinero de la ganancia me lo gasto y termino sin comprarme la otra casa? ¿Y si vendemos la casa y ya con el dinero de la venta se va mi esposo con otra?

El miedo se quita con conocimiento.

El dinero en bienes raíces se hace al momento de la compra

Cuando se trata de hacer dinero en bienes raíces muchos tienen diferentes opiniones de cómo hacerlo, pero los grandes inversionistas están de acuerdo en algo: el dinero se hace al momento de la compra.

Cuando vendes y te queda ganancia, dicha ganancia es el resultado de que compraste bien. Si compras en efectivo y/o utilizas un préstamo tienes que tomar en cuenta varias cosas: tasa de interés, termino de préstamo, porcentaje de enganche, costo promedio de las rentas en el área, índice de ventas locales, la tendencia de crecimiento, tío SAM y por supuesto al tío ROI, escape o estrategia de salida, reparaciones y el costo de ellas, tiempo de reparaciones, etc. Muchos creen que toda ésta información es muy complicada o difícil de obtener, pero en realidad solo basta con tener un buen agente de bienes raíces para que en cosa de 20 a 30 minutos te dé respuesta a todas estas preguntas.

Empezar a forjar tu patrimonio y hacer crecer tu portafolio de inversión, sin duda alguna lo más importante es tener un buen equipo. Empieza por tener a un buen agente de préstamos hipotecarios y un buen agente de bienes raíces, ambos trabajan en general por comisión o dicho de otra manera por transacción cerrada, esto significa que tú eres el que les estás dando trabajo, tú los tienes que entrevistar y ellos son los que deben de pasar la prueba, y en tu primer entrevista con ellos es para que te contesten todas las inquietudes o dudas que puedas tener, haz todo lo que un buen ejecutivo haría al momento de emplear a una persona, pregunta cuánto tiempo tienen de experiencia, a cuántos clientes han representado, cual es el área de experiencia de ellos, ¿Entienden lo que tú estás buscando y entienden el mercado? esta es una parte muy importante de tu camino a hacer dinero en esto de las casas, algo que debes saber es que el hecho que tengas un equipo no significa que les tengas que pagar, tienes que entrevistarte con varios plomeros, electricistas, carpinteros o mejor aún busca a contratistas generales que ya tengan todos los servicios. Tienes que pedirles referencias, fotos del antes y después de sus trabajos, los costos por unidades de reparación, copia de sus licencias, etc.

Debes tener al equipo y en la banca a los suplentes. Recuerda que la gran mayoría por no decir que todos sólo te van a cobrar por trabajo realizado, así que tener a un buen equipo es gratis. En algunos estados es ilegal que te cobren por anticipado, solo los abogados lo pueden hacer, ten cuidado con los que te cobran por adelantado, por lo general te cobran porque quieren capitalizar o hacer dinero sin que les importe el resultado para ti.

Hay muchas técnicas, tácticas y fórmulas para tomar en cuenta al momento de comprar o invertir en bienes raíces, a mí me preguntan mucho que es lo que yo miro o busco si la casa la fuera a comprar yo, si la propiedad fuera para yo vivir en ella.

Si la persona está buscando una casa para vivir en ella, y quieren hacerlo por estrategia de expansión, tienen que estar claros en qué es lo que necesitan vs que es lo que quieren. En ocasiones no puedes tener lo que quieres, pero sigue siendo muy buena idea comprar para iniciar tu portafolio de inversión, ¿Cuál es tu presupuesto? ¿Qué cantidad de mensualidad quieres pagar? tomar en cuenta el costo de manutención de la casa, cosas tan sencillas como: ¿En qué parte de la casa me va a dar el sol? Es increíble la cantidad de dinero que te puedes ahorrar solo con esta pregunta, en una casa que yo compré no me percaté de esto, el frente de mi casa estaba mirando hacia el este y obviamente la parte de atrás de mi casa estaba en el oeste, ¡Nos pegaba el sol todo el día! En tiempo de verano gastábamos más de lo normal en electricidad para mantener la casa fresca, es verdad que a todos nos pega el sol, pero si tu propiedad está ubicada así vas a pagar más en electricidad, para la siguiente casa tuvimos la precaución y compramos la propiedad que estuviera posicionada de otra manera, el resultado fue ahorro de energía y dinero. El área de la ciudad en donde quieres vivir es importante, aquí en Estados Unidos te dicen que "location, location, location" son las 3 cosas que debes de ver en una propiedad. Jamás permitas que el agente de bienes raíces te diga en donde tienes que comprar…

---"Te sugiero que compres en esta área porque ahí hay una comunidad importante de hispanos y te vas a sentir muy bien."

Eso es una manera de "dirigir" y segregar en base a tu origen hispano y está penado por la ley, no es legal hacerlo.

Para muchos de mis colegas y clientes no es lo mismo comprar una casa para vivir que una casa como inversión, pero yo pienso diferente, para mí las 2 son inversiones. Me preguntan muy seguido lo siguiente: ¿A qué te dedicas? Mi respuesta por muchos años ha sido la misma: Yo les enseño a la gente como hacer dinero en bienes raíces. Que los represento para comprar y vender…si, pero siempre con una estrategia de crecimiento, mi prioridad es mostrarle a mi cliente a vivir gratis. Mi deseo profesional es convertir a cada uno de mis clientes es su propio banco y que ellos solitos se financien sus inversiones de bienes raíces. Hay una fórmula que yo utilizo mucho para hacer dinero y para hacerte rico. La fórmula es: 3, 2, 1.

$$3 - 2 - 1$$

Comprar

Vender

Quedarte

Al vender 2 propiedades haces dinero para repetir la fórmula 3-2-1+1 Esta ya la tenías ahora son 2 para trabajar tu ROI

El 3 significa: comprar 3 propiedades. No es necesario comprarlas de un solo golpe, si lo puedes hacer así muy bien, pero también las puedes comprar de a una por una y de poco a poco.

El número 2 es para hacer dinero. Si ya tienes 3 propiedades y las compraste bien (recuerda que el dinero lo haces al comprar) de esas 3 que ya tienes vende 2 de ellas, ahí es donde haces dinero, de la ganancia que te va a quedar.

Y el número 1 es para hacerte rico. De las 3 casas que adquiriste, vendes 2 para que te quede ganancia y quédate con 1. Esa propiedad es la que te hará rico, esa es la que el tío ROI está trabajando para ti. Con la venta de las 2 casas, compra 3 y repite la fórmula 3, 2 ,1 y para la siguiente vuelta ya habrás vendido 4 casas y tendrás 2 que estarán trabajando para ti. Esta fórmula es cambiante de acuerdo con tus necesidades, si estás trabajando bien y tienes ingresos suficientes entonces quizá no requieras dinero y la fórmula se miraría así:

En lugar de adquirir 3, vender2, quedarte con 1.

Ahora: adquirir 3, vender 1, y quedarte con 2.

También: Adquirir 3, vender 0, quedarte con 3.

En mi grupo de mentoría ROI by FJ explico esta fórmula a los miembros, la columna del número 1 en donde te quedas con las propiedades para convertirte económicamente en una persona rica y esta columna tiene su propio universo. En ésta columna hay infinidad de estrategias que puedes hacer para que tu portafolio siga creciendo de una manera orgánica y sin muchas trabas, casi en automático.

Era noviembre del año 2009, muchos estaban perdiendo sus casas y estábamos de plano en medio de la crisis hipotecaria, un radio escucha me llamó para hacer una cita, él tenía todo en orden para comprar una casa, buenos ingresos, estabilidad en su trabajo, excelente crédito, su esposa estaba en las mismas condiciones que el financieramente hablando…pero tenía mucho miedo de comprar, ¿Qué pasaría si las casas siguen bajando de valor? Además, les preocupaba que su único hijo de 14 años no se adaptara (potencialmente) a una nueva área de la ciudad.

---El dinero en bienes raíces se hace al momento de la compra, le dije; si algún día vendes dicha propiedad y te queda ganancia es porque compraste bien.

Le expliqué también que debería comprar con una estrategia, un plan a seguir, le enseñe la fórmula 3, 2,1, le mostré como trabaja el tío ROI, le dije mi formula de cómo pagar la casa rápido usando un método matemático, le di el mapa a seguir para que creciera financieramente, en fin… le quité el miedo. Se sintió seguro y compró una casa en short sale o venta corta por $190,000 (en algún momento de la historia del año 2006 esa casa llegó a tener un precio en el mercado de $430,000) el proceso de venta duró varios meses, pero en junio del 2010 ya estaba en su casa, una excelente propiedad, ellos felices. Paso número 1: pagar la deuda de la casa de una manera matemática, con un sistema.

---Enfócate y yo te voy a enseñar cómo hacer que tu patrimonio crezca, si eso es lo que quieres.

El análisis que le hice dio como resultado que pagaría su casa en su totalidad en 7.2 años en lugar de 30. Para el mes de septiembre del 2017 estaría libre de deudas y con su casa pagada.

Pasó el tiempo y llegamos a agosto del 2016, estas personas regresaron a mi oficina para que yo les dijera como estaba el mercado y en particular cual era el valor de su casa actualmente, quizá ya estén listos para que yo les diera una estrategia anticipada y actuar inmediatamente una vez tuvieran la casa pagada. Ellos aún le deben $50,000 a la casa, pero dicha propiedad ahora vale $325,000 tienen una plusvalía o ganancia de $275,000. La casa NO subió de valor esa cantidad, ellos cancelaron la deuda $140,000 en 6 años y la casa subió de valor $135,000 en el mismo periodo de tiempo, estos dos factores dan el resultado de $275,000.

Fue entonces que los puse a sudar frío, les sugerí una estrategia que en cosa de minutos los sacó de su zona de confort.

--- Vendan la casa. Les voy a enseñar a vivir gratis y a hacer dinero en bienes raíces.

--- ¿Pero que no el plan inicial era pagar la casa? Fue lo primero que dijo la esposa. ---¡Aún nos falta un año para terminar! Además, ¿A dónde nos vamos a ir nosotros? ¿Y en dónde vamos a meter todas las cosas que tenemos?

El marido se quedó pensativo por un momento para luego decir:

--- La casa nos queda muy grande, ya estamos nosotros solos, ¿Cuál sería la estrategia?

Que rápido pasa el tiempo, su único hijo ahora ya de 20 años no vive con ellos, está estudiando en la universidad fuera del estado.

---Siempre debes tener un plan, yo se los di hace 6 años, ahora ya estamos todos más viejos y es hora de que empieces a pensar en tu retiro financiero, no es necesario que termines de pagar tu casa para que tomes ventaja nuevamente de la situación actual del mercado. Lo que pasó a continuación cambio la vida de esta pareja. La estrategia es la siguiente.

De vez en cuando uno de los movimientos o sentimientos más difíciles por hacer al vender tu única propiedad es la incertidumbre de dónde vas a vivir en el intermedio que compras tu otra propiedad. En ocasiones es necesario vender tu única casa para tener posesión del dinero de la ganancia y poder disponer de él en la estrategia de inversión, por fortuna en esta ocasión no fue problema, esta pareja pudo rentar la casa de un amigo de ellos sin un contrato, solo por el tiempo que necesitaran. El plan fue el siguiente:

1- Vender tu propiedad

2- Comprar otra casa para vivir en ella con el mínimo enganche que requiera el banco.

3- Comprar 4 edificios fourplex (fourplex son edificios o propiedades de 4 apartamentos cada uno) en este caso 4 edificios de 4 apartamentos o unidades cada uno equivale a 16 apartamentos.

Las matemáticas o los números son los siguientes:

1- Vendió la casa en $325,000 - $50,000 (que le debía al banco) – las comisiones por vender y los gastos de cierre de $25,000 = $250,000 de ganancia. Cabe mencionar que de este cuarto de millón de dólares de utilidad no se pagó un solo centavo de taxes o impuestos, ellos están libres de impuestos por haber vivido en esa propiedad por más de 2 años (preguntar a un preparador de impuestos calificado sobre esto)

2- Comprar otra casa para vivir en ella, en este caso compraron una propiedad de $350,000 $25,000 mejor de la que tenían, el enganche fue del 5% en un préstamo convencional al 3.875% de interés para 30 años, más 1.7% de gastos de cierre: gastos para comprar su nueva casa

=$ 23,450 el pago mensual promedio de esta casa con todo incluido: PITI (Principal, Interés, Taxes, Insurance/Seguro) = $2100.00

3- Comprar 4 fourplex de un máximo de $200,000 cada uno, 25% de enganche = $50,000 por unidad + $4,000 de gastos de cierre por transacción, al 4% de interés fijo para 30 años equivale a un total de: $ 216,000

El pago de cada fourplex con todo incluido es un promedio de $850.00 al mes

En el recuento de los daños el resultado fue:

$250,000 de ganancia

-$239,500 de enganches y gastos para su casa y 4 fourplex

$10,500 saldo a favor

Los pagos de sus 5 propiedades al mes son: $5,500

¡Pero tiene un ingreso promedio de $700 al mes por cada unidad (16) = $11,200-$5,500= $5,700 de ganancia al mes! ¿Y cuando le preguntamos al tío ROI que significa este número?

$5,700 al mes x 12 meses = $68,400 de ingresos netos anuales divididos en tu inversión de $239,500 dan como resultado **¡un retorno de inversión (ROI) de 28.56% anual!**

¡Ningún banco en el mundo te da una ganancia en intereses de ese tamaño! Pusiste a trabajar tu dinero para ti al 28.56% de interés al año, siempre fue el mismo dinero, pero utilizado de una manera diferente. En este tipo de transacciones y sobre todo con este tipo de retorno en inversión, a mis clientes les viene importando muy poquito si sus propiedades se devalúan y/o se llegaran a devaluar.

Ellos ya están vacunados e inmunes a recesión, aunque las propiedades bajen de valor las rentas no lo harán y ellos van a seguir colectando esos ingresos. ¿Puedes pensar que también les va a afectar si no hay inquilinos que se los renten verdad? ¿Pero ponte a pensar... si una persona pierde la casa por la razón que tú quieras y la razón que se te ocurra, crees que al perder su propiedad se van a ir a vivir debajo del puente con toda su familia? ¡No! Aunque las personas pierdan sus casas durante una crisis económica seguirán rentando en algún lugar, así es y así será. En ciudades de California por ejemplo es muy común que se unan varias familias y que entre todos paguen la renta, una sola familia no puede con los costos tan elevados de vivienda.

Cuando el mercado inmobiliario baja de valor, las rentas suben, es otra constante de la ley de la oferta y la demanda, la gente pierde sus casas o no compran porque se están devaluando, entonces su única alternativa es rentar. Créeme, siempre existirán los inquilinos.

Puede sonar muy complicado para algunos, pero de verdad no lo es, es mucho más grande el temor a hacerlo que el proceso y el resultado.

Mi cliente se quedó convencido de que lograría hacer todo lo que hablamos en aquella reunión... me prestó el documento que yo mismo le hice, me comento después que esa hoja (que les presento a continuación) le sirvió como "mapa" y también como tabla de visualización. Tener un proyecto de vida, encontrar apoyo en tus seres queridos, buscar y formar el equipo de profesionales que te represente y tomar acción... es garantía de éxito.

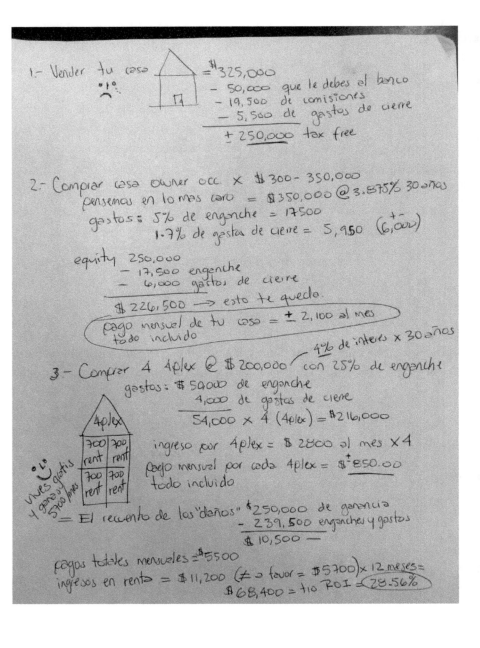

1.- Vender tu casa = $325,000
- 50,000 que le debes al banco
- 19,500 de comisiones
- 5,500 de gastos de cierre
+ 250,000 tax free

2.- Comprar casa owner occ. x $300 - 350,000
pensemos en lo mas caro = $350,000 @ 3.875% 30 años
gastos: 5% de enganche = 17,500
1.7% de gastos de cierre = 5,950 (± 6,000)

equity 250,000
- 17,500 enganche
- 6,000 gastos de cierre
$226,500 → esto te queda.

pago mensual de tu casa = ± 2,100 al mes
todo incluido

3 - Comprar 4 4plex @ $200,000 con 25% de enganche   4% de interes x 30 años
gastos: $50,000 de enganche
4,000 de gastos de cierre
54,000 x 4 (4plex) = $216,000

4plex

| 700 rent | 700 rent |
| 700 rent | 700 rent |

vives gratis y ganas 5700/mes

ingreso por 4plex = $2800 al mes x4
pago mensual por cada 4plex = $±850.00
todo incluido

= El recuento de los "daños" $250,000 de ganancia
- 239,500 enganches y gastos
$10,500 —

pagos totales mensuales = $5500
ingresos en renta = $11,200 (≠ a favor = $5700) x 12 meses =
$68,400 = tio ROI = 28.56%

La avaricia viene acompañada de la estupidez

En una ocasión me encontré con un señor que había estado en mi oficina un par de años atrás, en aquella lejana cita no pudo calificar a un préstamo hipotecario porque tenía el crédito horrible, pagos atrasados, colecciones, un embargo de su auto… en fin no le pagaba ni a su mamá, no calificaba ni para una bicicleta, estaba su crédito más feo que pegarle a Dios por la espalda. Platicando con él me dijo que yo le recomendé reparar su crédito o buscar a otra persona que le ayudara a calificar en el préstamo, y quizá entre los 2 lograrían adquirir un préstamo hipotecario. En inglés a estas personas se les conoce como co-signers y consiste en que dicha persona tenga ingresos y también buen historial crediticio, el banco disminuye su riesgo y te presta el dinero sabiendo que además de ti, otra persona también es responsable del préstamo. Cuando le pregunté si había seguido mis recomendaciones me salió con la excusa que muchos ponen: empecé a hacerlo y después se me olvido, no supe cómo, fui con una persona a que me reparara el crédito le pagué y nunca hizo nada, me estafaron, etc.

Ok le dije, ¿Y no conseguiste a otra persona para que te ayudara a calificar? El señor me miró fijamente y me dijo:

---Mi amigo, a mí no me gusta compartir lo que pueda ganar la casa en valor con nadie, si la casa que voy a comprar sube $5.00 dólares de valor, ese dinero es todo mío, además no me gusta deberle favores a nadie.

--- ¡No pos wow! ¡Si mi abuela tuviera llantas fuera triciclo! ¡El 100% de nada sigue siendo NADA! Habían pasado más de 2 años de nuestra cita, más de 2 años de habernos visto y hablado por última

101

vez, no hizo nada de lo que tenía que hacer y… ¿Estaba preocupado por lo que tendría que compartir de ganancias?

--- ¿Sabes? Le empecé a decir...---No tienes recursos ni tampoco tienes ingenio, déjame darte un ejemplo real de lo que es tomar acción y tener algo a no tener nada.

Llegaron a mi oficina una familia de 4 personas: papá, mamá y 2 hijos. El papá trabajaba, pero tenía mal crédito, la mamá no tenía documentos era turista permanente, los 2 hijos nacieron en Estados Unidos, tenían más de 24 meses trabajando y tenían todos sus documentos financieros en orden (talones de cheque de su trabajo, estados de cuenta bancarios y 2 años de declaración de impuestos o "taxes").

Los hijos, queriendo ayudar a sus padres, decidieron aplicar para el préstamo y comprarles a los viejos la casa que tanto anhelaban, el papá repitió varias veces queriendo que quedara claro que los hijos solo aplicarían para el préstamo pero que él era el único responsable de hacer los pagos, --- Yo entiendo mijos que en papel ustedes responden por ese dinero, pero ya saben que yo soy el que va a hacer los pagos, no los voy a dejar solos y mucho menos les voy a quedar mal porque no quiero que se les perjudique su crédito, decía una y otra vez, ustedes ya mucho están haciendo "prestándonos" el crédito.

--- Muchachos, les dije. Eso que quieres hacer por sus padres es digno de admirar, pero es fraude. Si tu usas tu crédito y obtienes un préstamo hipotecario, compras la casa, pero moralmente la casa es de otra persona, en este caso de tus papás… están cometiendo fraude. Eres un 'prestanombres' es ilegal. No lo hagan nunca con nadie, mejor les doy una opción legal. ¿Y si en lugar de que les hagan un favor a sus padres y que ellos tampoco se sientan obligados a no quedarles mal con los pagos, porque no se hacen socios?

Les dije eso y se voltearon a ver todos,

--- ¿Se puede hacer eso legalmente? Me preguntaron,

--- ¡Claro que sí! Yo los puedo guiar para que todo quede documentado bajo la ley y registrado legalmente en el condado y la ciudad. Una vez terminada la transacción, los muchachos que los agreguen al título de la propiedad y en ese mismo documento queda registrado el porcentaje que le corresponde a cada uno, no hay nada que legalmente le impida a usted señora entrar al título de propiedad, aunque no tenga documentos para estar aquí en el país, entonces... ¿Lo quieren hacer?

Me hicieron muchas preguntas, pero una vez aclaradas decidieron que los hijos aplicaran para el préstamo y que el enganche y gastos de cierre fueran puesto por todos en partes iguales, acordaron también que en el titulo estuvieran los 4, cada uno siendo dueño del 25% de la propiedad y también siendo responsable del mismo porcentaje del pago de la hipoteca, literalmente y por contrato escrito y firmado ante notario quedaron como socios.

Cuando les entregué las llaves de su nueva casa y estando todos en el título de la propiedad les enseñé a pagar la deuda del préstamo y en poco más de 3 años (con mi sistema) ¡tenían la casa completamente pagada! Ahora ya van por la casa número 4, ya tienen 3 pagadas, siguen siendo socios y la meta de esta familia es tener 4 casas completamente pagadas, los hijos quieren ver a sus padres viviendo en una casa y que la otra que les corresponde esté rentándose para que por lo menos se aseguren que los inquilinos los mantengan, las proyecciones son en más o menos 12 años ¡tendrán las 4 casas completamente pagadas! ¿Imagínate como se sientes los padres de saber que sus hijos están arrancando su vida adulta con una casa pagada? No quiero ni pensar lo que estos muchachos van a lograr, ahora imagínate también como se sienten los padres sabiendo que no van a depender económicamente de sus hijos para cuando lleguen a viejos, ¿Cómo se sentirán los hijos sabiendo que sus padres no tendrán que preocuparse más por el sustento y sin tener que trabajar más?

--- ¡No pidas favores! ¡Ofrece un negocio, busca socios e inicia tu patrimonio! Le dije al personaje que estaba preocupado de perder sus $5.00 dólares imaginarios de ganancia,

--- Analiza la historia de esta familia y duplícala, he tenido la gran fortuna de representar a muchas familias como el ejemplo que te acabo de dar, en ocasiones y porque el contrato así lo estipula, entran como socios por 2-3 años y venden la casa repartiéndose las ganancias de la venta, ¡Una vez que colectan dichas ganancias por lo general son suficientes para que individualmente y sin ser socios inicien su propia historia de inversión en bienes raíces!

El hombre me contestó que lo pensaría, quizá a sus compañeros de trabajo o a algún familiar les interese esta opción. Han pasado varios años de esta conversación y al hombre no hay quien lo baje de su mula, sigue terco en que no quiere ayuda ni favores de nadie, además él dice que no sabe cómo negociar, algún día va a reparar su crédito y ahorrar para el enganche. No hay duda de que puedes llevar al caballo al rio para que tome agua, pero no puedes obligarlo a que la beba. Mi abuelo me enseño muchas cosas, en este capítulo recuerdo 3 de ellas:

1- Para menso no es necesario estudiar. El 100% de nada sigue siendo nada.

2- No hay peor ciego que el que no quiere ver.

3- ¡La avaricia viene acompañada de la estupidez!

CAPITULO VIII

El Ser Peligroso se Consigue en Soledad

¿Qué entiendes en la frase: Yo soy peligroso?

En mi oficina siempre estoy buscando la manera de convertir a mis clientes en personas peligrosas. Algunos que me escuchan en mis programas o asisten a mis conferencias ya vienen con la idea y con la intensión de serlo, llegan y me dicen:

--- Vengo hasta tu oficina porque quiero que me ayudes a convertirme en una persona peligrosa.

Te explico.

En mi ramo, en mi carrera he visto como se han dejado de hacer fortunas de dinero porque la persona no tiene el conocimiento, las herramientas o la guía necesaria para catapultarse a la cima de ese mítico 5% de la población mundial que goza de buenos ingresos económicos. Entonces desde el inicio me di a la tarea de entender lo que se necesitaba, me puse a estudiar, y estudiaba mucho. Las fiestas se terminaron para mí, las distracciones se convirtieron en cosa del pasado, todo mi enfoque consistía en entender y descifrar la forma de como ese 5% juega el juego de las finanzas. Resulta que mientras todo esto estaba pasando y era mi nueva realidad, una realidad que yo había escogido y había diseñado, dejé de ver la otra realidad que se encontraba en el mismo mundo, pero en el exterior.

Me di cuenta de que mi vida social era inexistente, ya no me llamaba la atención los partidos de futbol en la televisión, tampoco me divertía saliendo con mis amigos o compañeros de trabajo. Las personas que me conocían empezaron a decir que como ya estaba casado, mi esposa me tenía controlado, para otros empecé a ser el orgulloso y el presumido, el que "ya se le subió el norte". Honestamente me sentía muy mal, fuera de lugar y me sentía que no pertenecía. Hubo momentos que acepté ir a comidas o convivios para intentar estar de nuevo en el circulo social que tenía antes, iba a dichas reuniones y terminaba triste y confundido. La confusión era porque me la empezaba a creer, empezaba a darle la razón a todos los que me juzgaban y criticaban. Durante esas reuniones me quedé en silencio muchas ocasiones porque prefería no opinar nada, las conversaciones que tenían no me llamaban la atención y sentí por primera vez que aún no podía darme el lujo de perder tiempo, que había muchas cosas por aprender y metas por cumplir. Entonces surgían todas las preguntas. ¿De verdad estoy cambiando? ¿De verdad se me subió y si soy presumido? ¿Será que si soy mandilón (sometido) y mi esposa me controla? ¿Por qué ya no disfruto de la compañía de estas personas que tanto quiero y aprecio?

En esos días lo que me daba paz y sentía que también me daba un rumbo era estar solo. Mi universo eran mi esposa y mis libros, llego un momento en que absolutamente nada más era importante, me habían dicho que el costo del éxito se paga por adelantado, que tenía que pagar el precio para obtener lo que yo quería. Me dijeron también que el éxito se consigue en soledad, en donde nadie te ve.

--- ¿Qué haces cuando nadie te está observando? ¿En qué empleas tu tiempo libre?

Fué una de las primeras preguntas que me hizo mi nuevo mentor. ¿Recuerdan al japones que llego a pedir millones de dólares al banco para seguir invirtiendo? Dios, el universo, la vida, el destino, el karma o el nombre que ustedes quieran poner, me llevaron a que él fuera mi primer mentor en bienes raíces. Imagínense la escena, un japonés millonario enseñando sus secretos de bienes raíces a su pequeño saltamontes latino, me sentía como en la película de karate kid y tenía a mi propio Míster Miyagi.

--- Cuando estoy en casa solamente hago dos cosas, estar con mi esposa y estudiar bienes raíces. Le contesté.

--- Te voy a enseñar lo que yo hice para iniciar en este mundo de los bienes raíces, quiero que seas una persona peligrosa. Tienes que estudiar mucho mis conceptos, leer todos los libros, la persona que sabe una cosa en específico y la sabe bien, es una persona peligrosa. Hacer algo por 10,000 horas o más te convierte en una persona experta en la materia, así que prepárate a meterle diez mil horas a tu tarjeta de trabajo y estudio. Una persona peligrosa es la que tiene todo en orden: Sus finanzas, su crédito, sus ingresos, sus impuestos, su enfoque, su mente, el conocimiento en el tema, la continua educación y el objetivo claro de adonde quiere llegar. Lo único que le hace falta a dicha persona es la guía, la estructura y el mentor.

Inmediatamente saque la cuenta de esas diez mil horas…ahorita me las chingo, que me duran sus horas laborales, este japones no sabe que los latinos somos expertos en hacer doble turno.

10,000 horas de estudio para convertirte en experto divididos en 8 horas al día = 1,250 días! Hay cabrón, no está tan fácil.

1,250 días divididos en 365 días del año = 3.42 años de estudio…Incluidos sábados y domingos.

¡Ya valió madre! ¡Yo quería ser exitoso y peligroso en la primera mentoría con el japones!

Mr. B (el japones) me empezó poco a poco a enseñar y educar en el tema, honestamente lo que me decía se me hacía muy básico, yo me sentía que los libros ya leídos y estudiados me ponían en un nivel más elevado de aprendizaje, pero a Mr. B no le llegaba urgencia de nada, era medio lento en su manera de enseñar, yo quería ponerle velocidad, quería agilizar los procesos, y como buen oriental me salía con cada historia tratando de que yo agarrara la onda, quería hacerme entender que todo lleva su tiempo. Nunca me dijo mi pequeño saltamontes, el muy pinchi me decía mi pequeño Speedy González porque yo quería todo en chinga (rápido)

¡Por fin! Pasaron los casi 3 años y medio, ya tenía las 10,000 de estudio en la materia y también en la práctica.

¡Yo sentía que las fórmulas, estrategias, tácticas de negociación, formularios de evaluación, velocidad del dinero, apalancamientos bancarios, apalancamientos humanos, financiamientos creativos, cientos de discursos, miles de historias me estaban saliendo hasta por las orejas! De esas veces que ya no quieres queso, lo que quieres es salir de la ratonera.

--- Mi pequeño Speedy Gonzalez, creo que ya estás medio listo para salir a empezar a comerte el mundo.

--- ¿Medio listo? ¿Qué me hace falta?

--- Jamás estarás listo, porque jamás dejaras de aprender. A medida que avances aprenderás más cosas, te harás más peligroso. No tengas miedo a perder ni tampoco a fracasar, por el contrario, espero que pierdas y fracases, las dos son lecciones que debes aprender y lecciones aprendidas que debes de implementar. Así que no son perdidas ni fracasos, simplemente son lecciones.

Esas palabras en lugar de hacerme sentir bien me llenaron de miedo. Creo que fue una sensación muy parecida a la que experimentan los niños en su primer día solos en la escuela, en donde el nuevo estudiante llega de la mano de sus papás para luego mirar que lo dejan solo con una persona que no conoce, con niños que más bien parecen demonios y de plano cuando volteas a ver a tus papás ya se fueron y sólo les alcanzas a ver la espalda…te sientes abandonado.

--- Te falta aprender una última enseñanza Speedy, falta que cierres el circulo, esta enseñanza es la más importante de todas y quiero que tú la descubras. Estoy seguro de que llegará el día en que vas a regresar aquí conmigo para decírmela.

---! No manche Mr. B!... Really? ¿Después de que me manda a mí solito al mundo de tiburones, todavía quiere que le resuelva un rompecabezas que solo usted sabe y ni siquiera me da una pista?

Literalmente me mando al mundo. Llegó mi segundo hijo, me empecé a ocupar, las cosas en mi empresa estaban realmente bien, mi economía se miraba cada día mejor. El consejo de Alberta la canadiense (me sigue pareciendo feo el nombre) empezó a rendir frutos, estaba yo en la televisión, el periódico, en la radio y hasta en la sopa, conferencias, seminarios, estrategias, clientes nuevos todos los días… en fin todo estaba bien y con el viento a favor. Todo estaba en orden y en plena expansión en todos los aspectos de mi vida: espiritual, familiar, personal, profesional y financiera. Dejé de aprender. Me sentí cómodo.

En medio de todo este "éxito" dejé de seguir estudiando. ¿Para qué? Como dicen en mi pueblo: No busques lo que no has perdido. Ya encarrerado el ratón que se chingue el gato.

Me descuidé y nunca vi venir el 2008 y la caída de los bienes raíces. Estaba encerrado en mi mundo de abundancia que no levante la cabeza para ver las señales de tormenta. Empezó a derrumbarse el pequeño castillo que había construido, los clientes desaparecieron, las transacciones se acabaron, los ingresos se esfumaron, los costos de mis inversiones y de las hipotecas adquiridas llegaban sin parar y yo en unos meses ya no podría pagar. Mi única salvación era Mr. B.

Busqué a Mr. B por todos lados, en su oficina, en su casa y nada. Le dejé infinidad de mensajes y nunca me contestó. Me contaminé de la psicosis colectiva de la gente, empecé a perder mis propiedades, mis autos, me congelaron algunas cuentas bancarias y me demandó un banco porque las pérdidas que ellos estaban teniendo por las inversiones que ya había adquirido no eran candidatas a una bancarrota. El argumento del banco fue: Él es un inversionista sofisticado y sabia a lo que se estaba metiendo. El juez le dio al banco la razón y perdí la demanda. Fueron meses de pérdidas económicas, de desesperación y de mucha vergüenza. Caí en una depresión profunda, solo mi esposa estaba ahí conmigo, solo ella sabía. Nadie se dio cuenta de lo que me pasaba, no lo sabían ni siquiera mis padres (Mi madre, hermanos y la familia de mi esposa se van a enterar si leen este libro, ojalá no lo lean). Mis hijos felices de tener a su papi en casa, jamás se imaginaron por el infierno que estaba pasando y en el cual también a ellos junto con mi esposa los estaba llevando.

Deje de ser peligroso.

Para estas alturas y por el silencio de Mr. B yo estaba seguro de que él estaba mucho peor que yo. ¡De plano en esos dos años del 2008 al 2010 Speedy Gonzales perdió hasta los calzones!

El silencio de Mr. B me daba mucho miedo. Infinidad de veces cuando no podía dormir me quedaba pensando aterrado en la posibilidad de que mi mentor se hubiera suicidado, le di vueltas a la imaginación por todos lados. En Japón es cuestión de honor, y por honor de plano creo que se quitó la vida al más puro estilo japones, si yo perdí casi todo, no quiero ni pensar como le fue a él. Hay dos opciones:

1- Suicidio como samurái por la espada o

2- Este cabrón se subió a un avión y se suicidó en kamikaze.

Pasaron los meses y por puro instinto de supervivencia yo seguía intentando salir del hoyo, se me había olvidado por completo el seguir preparándome. La última lección de Mr. B de aprender de las pérdidas y los fracasos ya ni siquiera estaba en mi cabeza, ya estaba aclimatado y aclichingado. Poco a poco el mercado se estaba estabilizando, empecé a escuchar que bienes raíces es cíclico. Sube de valor, luego se estabiliza arriba, de ahí se empieza a bajar los precios, se estabilizan abajo, para después volver a subir y el ciclo se repite.

Estamos estabilizándonos abajo, pensé. Ahora sigue la subida.

Era la segunda mitad del 2011 y la economía se empezaba a normalizar. ¿Recuerdan que en uno de los capítulos de este libro les dije que mi esposa fue la de la idea de que yo me fuera a estudiar Bienes Raíces para que me diera cuenta del fraude que me habían hecho al comprar nuestra primera casa? Pues ahora, mi esposa llego al rescate de nuevo, esta vez amenazando.

--- Estoy organizando el escritorio, aquí tienes libretas con apuntes, dime si los necesitas, de lo contrario los voy a tirar para que los niños hagan sus tareas aquí. Me dijo el freno de mano.

--- No se te ocurra tirarme nada sin antes yo ver que es. Quizá esté un billete traspapelado por ahí y sea suficiente para un café, jamás permitiría que me tires un café.

El primer cuaderno que saqué del escritorio fueron los apuntes que hice en las mentorías de Mr. B. Esa noche no dormí, me quedé repasando todas las notas. En ratos lloraba por la ausencia de mi mentor, en ratos me reía por los recuerdos, en momentos le mentaba su japonesa madre por haberme dejado solo, en la madrugada le agradecí todo lo que me enseñó y terminé dormido sobre el escritorio, encima del cuaderno. Lo entumido del cuello y el dolor de espalda me despertaron casi al amanecer, empecé de nuevo a leer el cuaderno me salté al final para leer lo último que había escrito:

"Te falta aprender una última enseñanza Speedy, falta que cierres el círculo, esta enseñanza es la más importante de todas y quiero que tú la descubras. Estoy seguro de que llegará el día en que vas a regresar aquí conmigo para decírmela."

--- ¡Qué manera de darme en la madre tan temprano y en ayunas! Recuerdo haber dicho en voz alta.

Me quedé llorando porque le había fallado, porque no descubrí nada, porque me encontraba derrotado. Pasaron los días, las semanas y varios meses después y yo de pendejo con el mismo pensamiento de fracaso, leía una y otra vez esa última nota, intentaba descubrir el rompecabezas.

--- ¡Lo descubrí, por fin descubrí el rompecabezas! Grite a todo pulmón a mi esposa

--- ¿De qué hablas? ¿Cuál rompecabezas? Me contestó ella

--- ¡Me pediste ayudar a los niños en su tarea de matemáticas y eso me hizo descubrir el rompecabezas de Mr. B!

Estaba más o menos poniéndole atención a mis hijos en la discusión que ellos tenían, mi hija pensaba que su tarea de matemáticas era más importante que la tarea de sinónimos y antónimos de mi hijo. Yo intentaba mostrar interés en sus argumentos, mi cabeza estaba en un par de transacciones de bienes raíces que tenía que cerrar antes de que terminara el mes.

--- Que es un sinónimo? Pregunto mi hijo

--- Un sinónimo es una palabra que tiene un significado casi idéntico a otra, por ejemplo: yo soy tu padre y yo soy tu progenitor es lo mismo, como también por estar aquí con ustedes estudiando es sinónimo de loco y demente, es lo mismo también perro y can.

Sentí que le estaba explicando bien pero ya saben cómo son los niños…

--- Entonces que son los antónimos? Siguió preguntando

--- Son palabras que significan todo lo contrario. Por ejemplo: valiente / cobarde ganar/ perder o educación / ignorancia

--- Ahora sigo yo papi, ayúdame con matemáticas. Interrumpió mi hija, --- Estoy atorada en esta pregunta. ¿Cómo le hago para que una suma de un número sea equivalente a 0? Si sumas es porque el número aumenta, entonces ¿Cómo es que sumas y llegas a 0?

--- Esa está fácil princesa, debes de aplicar la suma a un número que es negativo. Por ejemplo: menos dos más dos es cero $-2+2=0$

Y fue así como de un momento a otro se me vino la revelación y encontré el escurridizo rompecabezas. Fue la combinación de matemáticas y antónimos. Fue acomodar las palabras.

Educación / Ignorancia / Aplicación /Regreso a 0

Me sentí igual que mis hijos, me sentí de nuevo niño entendiendo la tarea, después de un ratito tratando de acomodar las palabras y de varias sonrisas, sabía que Mr. B estaría orgulloso de mi.

"LA EDUCACION SIN LA APLICACIÓN DE ESTA, ES UN CAMINO DE REGRESO A LA IGNORANCIA"

Por estar cómodo, dejé de estudiar, dejé de aprender, dejé de aplicar todo lo que sabia y por esa razón había perdido casi toda mi fortuna. Por primera vez después de mucho tiempo sentí de nuevo que era peligroso, ya no tan solo, estaba con mi familia… Pero peligroso al fin.

En otras palabras, la enseñanza del rompecabezas es: ¿De qué chingados te sirve saber si nunca vas a hacer nada?

CAPITULO IX

Compra Cuando Haya Sangre en las Calles

(ROTHSCHILD)

Baron Rothschild, fue un noble británico del siglo 18 y miembro de la familia bancaria Rothschild, se le atribuye haber dicho que "el momento de comprar es cuando hay sangre en las calles". El debería saberlo. Rothschild hizo una fortuna comprando en el pánico que siguió la batalla de Waterloo contra Napoleón. Pero esa no es toda la historia. Se cree que la cita original es: "Compra cuando haya sangre en las calles, incluso si la sangre es tuya"

(Texto tomado de la página oficial de Forbes publicado el 23 de febrero del 2009)

Obviamente no vamos a tomar literalmente el texto anterior y esperar que la sangre esté corriendo por las calles para empezar a comprar inmuebles. Pero es una muy buena analogía y una frase que nos lleva directamente a la reflexión. Palabras de este párrafo de Rothschild que saltan y obligan a una inspección profunda del texto son: Comprar en el pánico y comprar incluso si la sangre es tuya.

Mientras el mundo se caía a pedazos para millones de personas en la crisis inmobiliaria del 2008, el pánico y la psicosis colectiva se apoderaba de todos, "había sangre en las calles". Siempre que hay caos también se encuentran personas que saben que la oportunidad está rondando en el aire. Yo empecé a trabajar con inversionistas nacionales y locales que estaban comprando casas al mayoreo, algunos las reparaban y las volvían a vender y otros se quedaban con ellas para alquilar. Ahora los agentes de bienes raíces y agentes de préstamos ganábamos el dinero por volumen y por lo menos yo estaba de nuevo muy ocupado. Mis clientes hispanos salían a tomar ventaja de los nuevos precios. Además, para activar de nuevo la economía la Reserva Federal bajó a récords históricos los intereses, estaba la tormenta perfecta: Precios de vivienda devaluados en un promedio del 50% y además intereses también bajos. Todos estábamos contentos porque teníamos las 3 B's: Bueno, bonito y barato. Era obvio que también nosotros los hispanos estábamos tomando ventaja del caos (de la sangre que había en las calles).

Me encontraba como de costumbre en la oficina encerrado en mi mundo, estaba trabajando muy de cerca con una empresa sin fines de lucro de Arizona que tenía conexiones con un banco que estaba lleno de propiedades reposeídas o embargadas de miles de personas. Dichas propiedades las compraba esta organización por centavos sobre dólar, literalmente era así. Por ejemplo, si la casa tenía un valor en el mercado de $200,000 dólares, la empresa no lucrativa se las compraba a un 60-70% del valor real, ¿Por qué el banco aceptaba ese valor? Por 2 razones.

1- El banco reportaba una perdida adicional para sus libros sabiendo que el gobierno les estaba dando billones de dólares en ayuda. También les ayudaba mucho venderlas a una organización sin fines de lucro en sus libros de taxes.

2- La empresa sin fines de lucro rehabilitaba de nuevo las casas y se las tenía que vender a familias de bajos recursos con un 10% de descuento y les ayudaba con los gastos de cierre. Eso también favorecía mucho al banco porque podían mostrar que en sus libros estaban ayudando a este sector de la población.

Recuerden que el gobierno en ese momento estaba imprimiendo billones de dólares y alguien se los tenía que gastar. Sabían que años después tendríamos una súper inflación, pero sería un problema para otro presidente. Speedy, su servidor estaba metido en medio de todas esas transacciones, una casa para mi eran 3 transacciones, ¡Ganaba 3 comisiones de la misma casa! La primera comisión representando a la empresa sin fines de lucro como comprador de las casas del banco. La segunda comisión era representando a la empresa no lucrativa como vendedor de la casa ya rehabilitada. Y la tercera era representado a mi cliente hispano comprando la casa rehabilitada con un 10% de descuento y además dándole dinero para los gastos de cierre. Los tiempos buenos habían regresado.

Sumergido en una montaña de expedientes y con documentos que parecían no tener fin, escuché que mi asistente pedía permiso para entrar a mi oficina.

--- ¡No estoy para nadie! ¡Tengo tanto trabajo que no tengo tiempo ni de rascarme el ombligo!

--- Está un fulano que tiene dos días llamando, insiste en hablar con usted, pero cada que le pregunto por su nombre me dice que usted ya lo conoce y no me lo quiere dar.

--- ¿Dices que tiene dos días llamando? ¿A qué cree que estamos jugando? Pues dile a ese idiota que no soy adivino, que si no quiere darte su nombre que yo tampoco quiero hablar con él.

Un par de minutos después regresa de nuevo mi asistente y me deja frío con su comentario.

--- La persona que quiere hablar con usted dice llamarse Mr. B.

Después de más o menos como 15 mentadas de madre y recuperarme un poco de la impresión, de contener mi alegría, mi enfado, mi coraje y el alivio de saberle con vida…

--- Pásame la llamada, por favor cierra la puerta, no permitas que nadie entre a mi oficina y no me pases ninguna llamada. Estoy seguro de que esto va para largo.

Tomé el teléfono, cerré los ojos para centrar mis pensamientos y en cosa de segundos me calmé, respiré profundo, estaba nervioso, sentía que estaba a punto de hablar con un muerto, tenía que estar lo más sereno posible, lo más tranquilo posible.

--- **¿¡EN DONDE CHINGADOS ESTABAS!?** ¿QUE CLASE DE MENTOR ERES QUE ME DEJASTE SOLO SIN TU DIRECCION CUANDO MAS TE NECESITABA? ¡Y DE LA PINCHI AMISTAD QUE CREI QUE TENIAMOS NI HABLAMOS!

Como les digo…tranquilo.

--- ¿Descubriste Speedy mi última enseñanza?

--- Si la descubrí recabrón, pero lo hice cuando ya había perdido casi todo. Jamás se me va a olvidar lo que me hiciste, la angustia que me hiciste pasar, ¡Pensé que estabas muerto! Hasta te lloré méndigo, ¡te recé un novenario! que poca japonesa madre tienes.

--- Dime, ¿Cuál fue la enseñanza que aprendiste?

--- ¿Really? ¿Ni siquiera un cómo estás? ¿Un lo siento? Que poca... descubrí que, de nada me sirve lo aprendido si nunca lo aplico y tomo acción.

--- ¡Muy bien, esa es la lección! Te dije muchas veces que jamás dejarías de aprender, que hay lecciones que analizar y también implementar. Tu lección te costó muy caro, estoy seguro de que ni la universidad de Harvard te hubiera costado tanto, pero también estoy convencido que aprendiste más por lo que te pasó que lo que te hubieran enseñado en la universidad.

Después de varios minutos hablando con él o más bien reclamándole un sinfín de cosas, me empecé a realmente tranquilizar, además el escuchar que mi mentor estaba vivo, me daba la sensación de que todo iba a estar bien. De momento y por alguna razón, me sentí en la necesidad de preguntarle como estaban sus inversiones, si yo perdí hasta los calzones no me quiero ni imaginar lo que mi mentor había perdido, de seguro que fue mucho, él ya está viejo y quizá la vida no le dé el tiempo suficiente para recuperarse.

--- Y a usted Mr. B, ¿Como le fue?

--- ¡A mí me fue excelente! **Casi tripliqué mi portafolio,** ¿Qué no te diste cuenta de que las propiedades bajaron mucho de valor? Me aproveché del caos, el miedo de la gente se podía sentir por todos lados y en todas las industrias, los pequeños negocios se fueron a la bancarrota, tomé ventaja del conocimiento que tengo, ese mismo conocimiento que te transmití en los más de 3 años que estuve como tu mentor. No se trata de tomar ventaja de las personas, tampoco de hacer leña del árbol caído. Las personas y la economía estaban mal y muchos que estamos preparados y que además tenemos el conocimiento actuamos. A ti te falto actuar.

Mr. B le estaba echando sal a la herida, no sabía yo que hacer. El me conocía bien y tal parecía que me estaba leyendo los pensamientos.

--- Sé que estas enojado Speedy. Tienes 2 opciones:

1- No te perdones, sigue así y terminarás amargado y mediocre. Continúa echándole la culpa a otros, en el reparto de culpas a otros inclúyeme también a mí.

2.- Ve de nuevo a tu pasado para analizar y aprender tus lecciones, regresa a tu presente y pide tu revancha, concéntrate en lo que tienes que hacer para tu futuro.

--- Elijo la opción número 2, pero voy a necesitar de tu mentoría.

--- Te quitaron muchas cosas materiales Speedy. También te quitaron la tranquilidad y el sueño. En la confusión y el caos, en la oscuridad y la desesperación se te nubló el pensamiento y también las ideas. Tómate un tiempo para pensar y para desempolvar lo único que tienes y que jamás te van a quitar sin tu permiso: El cerebro y tu libre albedrío. Úsalos con responsabilidad y con serenidad.

Nos quedamos hablando por varias horas, nos reunimos días después y continuamos con la mentoría. Según él, lo que me pasó era necesario para mi aprendizaje, me forjó como persona y también como empresario. El honor de haber puesto el "pecho a las balas" de no haberme rendido, me hace acreedor a una nueva oportunidad. Mr. B me encontró trabajando, me encontró intentándolo de nuevo.

Se dio cuenta de que no me dejé vencer del todo y eso para él era suficiente.

--- Speedy, ahora te quiero enseñar algo que junto a todo lo demás es importante, creo que te va a gustar, sobre todo porque tú al querer todo rápido no le das la importancia ni el valor necesario a lo más preciado que tenemos. El tiempo.

En el capítulo 3 de este libro les prometí hablar sobre el siguiente concepto referente al tiempo: **Los pobres venden su tiempo y los ricos lo compran.**

A pesar de todas las enseñanzas y mentorías de Mr. B. dejé de aprender y eso me costó muy caro. Dejé de comprar tiempo y en mi desesperación empecé a venderlo. En lugar de comprar aprovechando el caos de esos años dolorosos en la industria inmobiliaria, en lugar de comprar cuando en las calles estaba mi propia sangre, dejé pasar la oportunidad.

Regresé de nuevo a estudiar y a reaprender lo aprendido. Miré mis notas, medité mucho en mi pasado y en las acciones que tomé y también en las acciones que pude haber hecho y no hice.

Buscando comprar tiempo en lugar de venderlo les quiero compartir uno de los principios de apalancamiento humano. Aquí es en donde se utiliza el tiempo y el esfuerzo de otros para que seas tú el que gane tiempo y dinero.

Varios estudios y reportes de diferentes instituciones dicen que a nivel nacional el promedio de las personas que son inquilinos necesita alrededor del 45% de sus ingresos mensuales en pareja para cubrir el costo de vivienda (renta) aquí en los Estados Unidos. En algunos estados se necesita un promedio del 53% de los ingresos de la pareja para poder cubrir la necesidad de proveer un techo. Las proyecciones arrojan que las rentas seguirán subiendo en un promedio de 8.89% anual, un panorama que cambia de gris a oscuro para millones de inquilinos.

Si tomamos el promedio de los 2 porcentajes arriba mencionados (45% y 53%) nos da como resultado un 49% de tus ingresos mensuales para cubrir el pago de renta de tu vivienda. Esto quiere decir que, si eres inquilino la mitad del sueldo, pero sobre todo la ¡MITAD DE TU TIEMPO TRABAJANDO es del dueño de la propiedad!

En otras palabras, de las 160 horas promedio trabajadas del inquilino por mes, 80 horas son del dueño de la propiedad, UNA DE TUS QUINCENAS COMPLETITA ES DEL DUEÑO Y EL DUEÑO NI SIQUIERA SE LEVANTO DEL SILLON PARA GANAR ESE DINERO.

Si te gusta sufrir, aquí tienes otra manera de verlo. De los 12 meses de año que trabajas, 6 de esos meses se los das al dueño de la propiedad y tu pagaste como dije anteriormente el 100% de intereses en tu dinero.

Los siguientes jeroglíficos te darán una mejor visión de lo que es apalancarse en dinero y tiempo de otros. Esta propiedad es un edificio de 4 unidades o también conocido como fourplex.

¿De verdad crees que una persona que sólo trabaja 8 horas al día con su propio esfuerzo va a salir adelante? Esa persona solo está sobreviviendo. ¿Crees que esa persona va a poder competir con alguien como el dueño de este 4plex?

En este ejemplo del 4plex cada inquilino por semana trabaja 40 horas, pero el dueño del edificio gana el equivalente de 160 horas por semana (4 inquilinos x 40 horas semanales de cada uno de ellos) sin tener que mover un dedo.

El edificio es del dueño, el dinero que representa el préstamo o la deuda es del banco, los inquilinos pagan la deuda y los intereses, el dueño gana el cash-flow o flujo de rentas y además la plusvalía que adquiera el 4plex. El dueño hace dinero cuando se apalanca en deuda con el banco, también compra tiempo cuando se apalanca y usa el tiempo de los inquilinos a su favor.

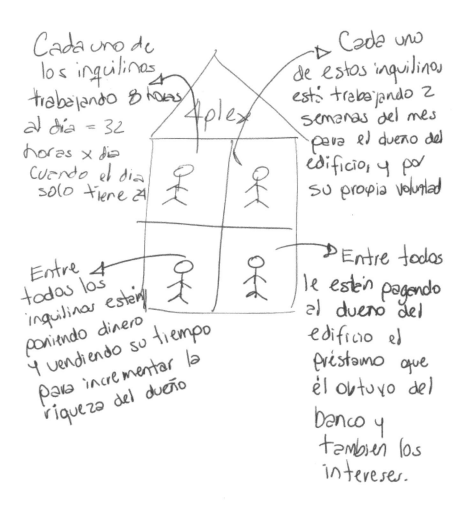

Cada uno de los inquilinos trabajando 8 horas al día = 32 horas x día cuando el día solo tiene 24

4plex

Cada uno de estos inquilinos está trabajando 2 semanas del mes para el dueño del edificio, y por su propia voluntad

Entre todos los inquilinos están poniendo dinero y vendiendo su tiempo para incrementar la riqueza del dueño

Entre todos le están pagando al dueño del edificio el préstamo que él obtuvo del banco y también los intereses.

OPM: Others People's Money (dinero de otros)

OTM: Others Time Management (Manejar el tiempo de otros)

Buscando entender más sobre el valor infinito que tiene nuestro tiempo, me encontré con los 10 principios del estudio sobre el tiempo que escribió Séneca. Les comparto a continuación dichos principios y algunas de mis notas.

Nuestro Tiempo no es Renovable.

Séneca

10 consejos estoicos de Séneca para no desperdiciar tu tiempo.

1- <u>Trata el tiempo como un bien escénico.</u>

Muchos cuidan sus pertenencias materiales, pero no cuidan lo más valioso que tienen. El tiempo. Si miras a una persona tirando billetes al aire pensarías que está loco, pero ¿cómo se le llama a una persona que tira su tiempo?

2- <u>No inviertas todo tu tiempo en el futuro.</u>

Vive tu presente, enfócate en vivir a plenitud el día de hoy, persigue tus sueños hoy, trabaja en ser feliz hoy, ocúpate por avanzar hoy. Nuestra vida futura merece, sin lugar a duda, ser planeada pero que no te roben el valioso presente. Debemos de aprovechar al máximo nuestro tiempo y hacer lo mejor que podamos todos los días en todas las áreas que nos hagan mejores seres humanos.

3- <u>Vive la vida para ti mismo.</u>

Que pérdida de tiempo es vivir lo que otros quieren que vivamos. Vivir en el trabajo que no nos gusta, en la relación que no me llena. Que desperdicio es vivir la vida queriendo lo que otros quieren, envidiar a otros lo que tienen. Estas viviendo la vida de ellos y no la tuya, es regalar el tiempo a otros para morir tu.

4- <u>Practica la premeditación de los males.</u>

Hazte la siguiente pregunta para que evites procrastinar, evites distracciones y problemas.

¿Qué podría salir mal? Pensar en negativo por tan sólo unos momentos te hará evitar y también te dará la respuesta a lo que debes de hacer en caso de que algo no tan bueno te llegue a la vida. En lugar de dejar todo para después, una buena táctica para ahorrar tiempo es programar con anticipación. Si tienes ya un programa de lo que deseas hacer, aumenta en un 70% tus posibilidades de lograrlo.

5- Haz que las recompensas a largo plazo sean inmediatas.

Posponer las cosas es el mayor desperdicio de la vida porque te roba cada día tu presente. El mayor desafío es callar a tus excusas. Busca una expectativa para que tu recompensa sea inmediata. Por ejemplo, tenías pensado darte un masaje en algún momento del mes, mejor acorta el plazo del tiempo del masaje y cuando te de flojera hacer algo o estés tentado a procrastinar, piensa en la expectativa de recompensa y hazte un trato: Cuando termine de estudiar este libro me voy a dar de regalo una buena taza de café junto con un masaje. Es muy probable que, en menos de una semana, terminaste de leer el libro, aumentaste tu conocimiento, compactaste el tiempo y aceleraste la recompensa.

6- Aprovecha al máximo tu tiempo libre.

No es que la vida sea corta, lo que pasa es que la desperdiciamos mucho. Todos trabajamos por dos razones: por dinero y por tiempo libre. Trabajamos 8-9 horas al día para obtener el tiempo que queremos para hacer las cosas que nos gustan, pero lo que pasa es que gastamos el tiempo en cosas irrelevantes. Detente y no desperdicies más el tiempo libre que has ganado. Si quieres superar la mediocridad y vivir al máximo tu vida, empieza a aprovechar el tiempo libre que tienes.

7- Dedica tiempo a reflexionar sobre tu pasado.

El tiempo se divide en tres partes:

a) El presente que es transitorio

b) El futuro que es incierto

c) El pasado que es inalterable

En la actualidad, los conceptos modernos te piden que te concentres en el presente y miremos hacia el futuro, se están centrando en lo incierto y transitorio.

Es importante también prestar atención a tu pasado si quieres prolongar tu vida. Deberíamos tener suficiente autocontrol de nuestra consciencia para recordar las lecciones de nuestro pasado y ser más efectivos hoy en día. Examina quien fuiste en tu pasado y que te llevó a ser esa persona. Aprender de tu pasado beneficia el alma, ayuda a estar presente y comprender los cambios que han ocurrido dentro de nosotros. Te ayuda a saber quién eres hoy y quien quieres ser mañana.

8- Deja de desperdiciar tiempo en trivialidades de la vida.

Cada día se nos va más el tiempo mirando pantallas y actualizando nuestro estado de ánimo, comida, lugares que visitamos o con quien estamos. Dedicamos nuestro tiempo a cosas sin propósito.

Si las personas vinieran a ti todos los días y durante todo el día a pedirte $20 dólares los echarías de tu vida y de tu casa. Sin embargo, llegan a ti los textos, los emails, llamadas de teléfono sin contenido, las solicitudes y distracciones en las redes sociales, programas vacíos en televisión y tú los aceptas y les regalas mucho más que $20 dólares. Las personas que dicen que si a todas las solicitudes, pronto se darán cuenta que no tienen tiempo para sí mismas.

9- Invierte tu tiempo en crear nuevos recuerdos.

Los ricos invierten su dinero para hacerlo producir buscando un retorno. Pero también invierten su tiempo para producir recuerdos. Séneca dice que la memoria dura más tiempo que el dolor. Uno de los enemigos de la felicidad es la adaptación, lo dijo el doctor Thomas Ghilovich, profesor de psicología en la universidad de Cornell.

No somos nuestras posesiones, somos la acumulación de todo lo que hemos vivido, de todo lo que hemos hecho, de todo lo que hemos aprendido, de todo lo que hemos visto y de los lugares que hemos estado.

10- Busca el equilibrio.

El equilibrio nos enseña que el tiempo bien aprovechado no debe limitarse solo al trabajo y a la productividad incesante. Es esencial reservar tiempo para cuidarnos, nutrir relaciones con familiares y amigos, perseguir intereses personales y disfrutar de momentos de descanso y relajación. No te conviertas en esclavo del trabajo o de las responsabilidades diarias. El descanso es vital para recargar nuestras energías y evitar el agotamiento. Este descanso necesario y rehabilitador servirá también para que sigas enfocado en utilizar mejor tu tiempo.

CAPITULO X

Mentalidad de Pobre, Mentalidad Conquistada en un País Rico y Libre

Para poder retomar mi tranquilidad y de verdad regresar a ser peligroso, me tomé mi pildorita de humildad y salí a buscar ayuda profesional.

--- Nos encanta sufrir. ¿Cómo quieres tener un futuro brillante y exitoso si siempre estas mirando hacia atrás, hacia tu pasado?

Esto fue lo que me dijo un psicólogo en una terapia.

--- Verdaderamente creo que todos deberíamos dejar el pasado que nos duele atrás. El pasado doloroso solo lo debes de visitar para aprender de tus errores, quizá confiaste de más y por eso sientes traición, quizá tu falta de conocimiento en un tema en particular hizo que tus aliados buscaran otras alternativas, quizá tus puntos de vista no estaban acorde al resto del equipo, quizá tu carácter no es muy compatible con la mayoría, quizá tus objetivos son eso, tuyos, y no necesariamente son los objetivos del resto, quizá dependías mucho de otros.

Abandono, traición, infidelidad, incomprensión, rencor, ira, resentimiento, son algunos de los sentimientos asociados con un pasado doloroso. Pero en lugar de soltar las anclas y estacionarte ahí, ¿Por qué mejor no miras tu pasado como a una ventana y observas realmente desde un lugar seguro y en calma? Piensa bien ¿Quién traicionó a quién?

--- Estoy de acuerdo doctor, lo mismo me dice mi mentor, pero me está costando mucho seguir avanzando sin tener rencor y coraje de muchas cosas. Económicamente estoy recuperándome más rápido de lo que pensé, pero en esta vez el sentimiento de culpa y de ira me acompañan en cada paso que doy.

En esa ocasión el psicólogo me daba además de mi terapia, argumentos para analizar mi pasado desde otro ángulo, desde otro enfoque. Para algunos, el sentirnos como latinos inferiores que los demás tiene su principio en parte a la conquista de las Américas.

No vamos a profundizar a detalle, ese análisis es definitivamente otro libro, pero a grandes rasgos, hay similitudes de los hispanos en Estados Unidos con los españoles llegando a conquistar América.

Perdemos a nuestra llegada la identidad. Llegamos a un país con otra cultura, otra manera de vivir, otro idioma, más desarrollado etc.

Ese periodo de adaptación es diferente para cada individuo, algunos jamás se adaptan y siempre se sienten extranjeros, pero también hay otros que pareciera que siempre han estado aquí.

Estaba yo en mi programa de radio anunciando la fecha de una conferencia que yo daría, en eso entró una llamada al aire de un radio escucha que me dijo:

--- Sabe, yo ya no vuelvo a comprar casa, me fue muy mal. Yo por creerme de agentes de bienes raíces como usted no solo compre una sino dos, y las 2 propiedades las perdí cuando el mercado se vino para abajo en el 2008, yo la verdad no le tengo confianza ni a usted ni al mercado ni a ningún agente de bienes raíces, ustedes solo buscan la comisión y solo nos "ensartan" en transacciones sabiendo que vamos a perder, ese año fue el peor de mi vida, perdí casas, dinero, trabajo, plusvalía y por poco hasta pierdo a mi esposa y a mi familia (me imagino que por eso que dicen: La pobreza entra por la puerta y el amor sale por la ventana) Y que me cuelga el teléfono.

--- Este tiene mentalidad de pobre, la culpa es de otros menos de él, aún sigue con el yugo de la esclavitud y de conquista. Pensé

---"Para que la cuña apriete tiene que ser del mismo palo" fue lo que contesté en la radio. Esto significa que para recuperar lo perdido en bienes raíces...una de las mejores maneras de hacerlo es precisamente en bienes raíces...en lo mismo. Cada uno habla de cómo le va en la feria. Para muchos esos años de devaluación hipotecaria fueron los peores de sus vidas, créanme que de verdad los entiendo (si supieran), pero para muchos otros, fueron los mejores tiempos, estaban comprando casas exageradamente baratas, con mensualidades muy cómodas y muchos de mis clientes y radio escuchas también estaban teniendo muchas ganancias de los inquilinos.

Si te quedas estancado en el pasado y solo recordando lo mal que te fue, jamás podrás tener un mejor futuro. No se puede progresar mirando y sufriendo sin aprender los fracasos del pasado, es por eso por lo que un auto tiene los espejos chicos para mirar hacia atrás mientras que tiene un enorme parabrisas para mirar hacia adelante. En todos los objetivos que te propongas tienes que ser tenaz o como me dijo mi abuelo, tienes que ser terco. Imagínate, ¿Cómo sería el mundo de la ciencia si Albert Einstein le hubiera creído a su maestro que le dijo que no servía para nada y que era un niño con retraso mental? ¿En dónde estuviéramos si Henry Ford les hubiera creído a sus colaboradores que era imposible desarrollar un motor para sus autos? ¿Cómo sería el mundo si los hermanos Wright hubieran escuchado que la gente decía que estaban locos por querer inventar un avión?

El mundo y todas las posibilidades que ofrece están destinadas a las personas tenaces, a los que saben que no todo será color de rosa y siguen adelante, muchos perdieron la casa cuando se devaluaron y decidieron por esa razón jamás comprar otra propiedad. Siguen con creencias y limitantes de personas conquistadas por mala información o por falta de ésta ¿Por qué les fue muy mal? ¿Por qué dejaron de intentarlo? De lo que si estoy convencido es que, si una persona que lo intentó le salió mal y no lo vuelve a intentar merece entonces a estar condenado al su propio fracaso.

Vivir en el pasado y recordar todo lo malo que nos sucedió es volverlo a traer a nuestro presente y a que se convierta en nuestra nueva realidad. Se de muchas personas que lo perdieron todo en los años del 2008-2010 yo los representé utilizando diferentes recursos y estrategias para que su crédito se impactara negativamente lo menos posible, yo miré como hombres y mujeres, padres de familia literalmente lloraban de angustia y desesperación de ver como su patrimonio y sacrificio se venían para abajo, en varias ocasiones yo lloré con ellos. Es fuerte, doloroso, lleno de incertidumbre. Pero siempre tuve claro que la tormenta pasa y después de ella llega la calma, yo sabía que se perdió la batalla pero que la guerra por salir adelante y crear un legado mediante bienes raíces es una de las mejores opciones. No se vale decir: Ya lo intenté, fracasé y no lo volveré a intentar. Es importante saber cuántas veces caes para tener muy claro las veces que te tienes que poner de pie de nuevo. Un personaje y líder importante en la revolución mexicana fue Emiliano Zapata, él dijo la siguiente frase:

"Prefiero morir de pie que vivir arrodillado".

Existe una pregunta que al igual que a mí a ustedes también al escucharla se ponen a pensar. Yo tuve la oportunidad de hacerle la pregunta a mi mentor Mr. B.

--- ¿Qué es lo que hacen algunos para salir adelante? ¿Por qué los días les rinden más a unos que a otros? Le pregunte.

--- La única diferencia es la manera de pensar. Como utilizas tu cerebro. Me contestó. Luego continuó:

--- Vivir con mentalidad de pobres y como personas con el cerebro conquistado es típico en las personas que culpan a otros, culpan al prójimo y al próximo, sobre todo a la familia y a los gobiernos.

Muchos de mis clientes me han dicho que no han sobresalido porque vienen de cunas muy humildes, mientras que otros has sobresalido mucho por la misma razón. Muchos padres de familia me han dicho que no pueden ahorrar para el enganche de una casa porque tienen varios hijos que mantener, mientras que otros padres de familia compran varias propiedades por la misma razón… tienen varios hijos que mantener. Muchos me han dicho que el gobierno no los apoya, mientras que otros me dicen que porque el gobierno no los apoya salen a buscar ellos solos la manera de como sobresalir. Siempre es más fácil echarles la culpa a otros en lugar de asumir nuestra responsabilidad.

--- El día que seas 100% responsable de tus actos, ese día empezarás a cambiar y mejorar tu vida, serás realmente libre. Me dijo el psicólogo.

Yo he descubierto a lo largo de mi carrera que los seres humanos somos producto de la acumulación. Nuestro aspecto físico, lo panzones y gordos que estamos, no son el resultado de que comimos mal el día anterior, es definitivamente el resultado acumulado de varios meses o quizá años de haber comido mal y de tener malos hábitos alimenticios y de ejercicio. De la misma manera el hecho de que tengamos poco dinero ahorrado nos es porque nos fuimos de fiesta el fin de semana pasado, es porque venimos acumulando unos hábitos financieros muy malos por mucho tiempo. Lo triste de todo esto es que si no aprendemos de nuestro pasado estamos condenados a repetirlo en el futuro. Dejar de visitar nuestro pasado de esta manera masoquista, es el camino para encontrar nuestro propio perdón, el pasado debe de ser una escuela de aprendizaje y no un recuerdo o un almacén de sufrimiento y motivo de desaliento, rencores, dudas y miedos.

Nuestra mente puede ser nuestro primer y mejor aliado o nuestro último y peor verdugo, te puede edificar o te puede destruir. Lo bueno de esto es que tú tienes la decisión final, es tan sencillo escoger, tienes 2 opciones:

Escoges ser la víctima, el ser conquistado, o escoges ser libre y tomar con libertad lo que te propongas porque te lo mereces. La decisión es solamente tuya, sin culpas ni culpables, sin mentiras ni prejuicios, sin excusas ni pretextos.

En el 2011 llego a mi oficina un hombre para pedirme que lo ayudara con un contrato que estaba a punto de firmar, el contrato era por un año de renta. Este hombre era el inquilino.

--- Me recomendaron que viniera con usted, que aquí me podían ayudar con estos papeles. Como no se hablar ni leer inglés aquí me tiene, no la quiero regar.

Después de analizar el contrato, le hice la pregunta de cajón, esa pregunta que cualquier agente de bienes raíces DEBE de hacer:

--- ¿Por qué no compras una casa en lugar de rentar?

--- La verdad no creo poder, me han dicho que en este país es muy complicado, además, ¿Usted cree que el banco me va a dar un préstamo si ni siquiera tengo papeles?

--- El no tener papeles y ser turista permanente de los Estados Unidos, no es motivo para que no lo puedas hacer. Estamos en el país más rico del mundo y que además le encanta que sus habitantes tengan deuda.

--- ¿Usted piensa que si me conviene?

Estuvimos hablando por unos momentos más, el hombre estaba con una autoestima muy baja, yo creía más en el que el en el mismo. A cada solución que yo le daba a una duda que él tenía me reviraba con otro problema, con otra razón de no hacerlo. Le pedí que antes de firmar su contrato de renta hablara con su esposa, analizaran la posibilidad de cambiar de rumbo.

La vida trabaja en ocasiones de una manera muy rara, resulta que este hombre llegó a su casa y se encontró con la noticia que a su única hija le habían puesto una golpiza unas compañeras de la escuela, la esposa lo estaba esperando para pedirle que ya no rentaran ese departamento, que buscaran otro en un lugar diferente para que su hija ya no regresara a la misma escuela.

De nuevo el hombre en mi oficina, esta vez acompañado de la esposa.

--- Quiero ver si de veras puedo comprar casa, no se me puede olvidar lo que usted me dijo, eso de que estamos en el país mar rico del mundo y que yo no estaba tomando ventaja.

El cuento de esta historia es como para ponerlo en una novela mexicana, tiene un casi final digno de un cuento de hadas. Digo casi final feliz porque aún no terminan, ahora la hija esta también invirtiendo con ellos. En el momento del altercado en la escuela, la hija estaba cursando el grado 11 de la high school (preparatoria o bachillerato) después de su graduación decidió no continuar con sus estudios universitarios, se enlistó en las fuerzas armadas y cuando ya tenía todo en orden empezó como socio de sus padres a invertir en propiedades con ellos. Ella nació aquí en USA, así que tenía el estatus migratorio que a sus padres les faltaba. Hasta el día de hoy que estoy compartiendo parte de su historia el recuento de los hechos es: Los padres junto con su hija como socios ya tienen 21 puertas que les dan dinero cada mes por concepto de rentas, el patrimonio inmobiliario representa un portafolio de un poco más de $3.4 millones de dólares. La hija se sabe única heredera y está 100% convencida que con mis estrategias seguirán creciendo. El hombre sacó de trabajar a su esposa, ahora siente que su seguridad económica para su vejez esta ya ejecutada. Están en la espera de inmigración para que les aprueben la ciudadanía (la hija hizo la petición de estatus legal para los 2) y cuando tengo la oportunidad de hablar con ellos para hacerles estrategias actualizadas sobre su portafolio de inversión, casi siempre el hombre me dice lo siguiente: Quien lo iba a decir… ¿Recuerda que lo conocí para que me ayudara a rentar un departamento?

En el juego de ajedrez existe una jugada que se llama enroque. Esta jugada es un movimiento defensivo en que el rey y la torre del mismo equipo o bando cambian simultáneamente su posición. Me gusta mucho pensar en esta jugada e imaginarme que los latinos aquí es este país estamos cambiando también nuestra posición en el juego de crecer. Cambiar de manera de pensar para obtener diferentes resultados. Me dijo un profesor: Todo en esta vida se ha inventado dos veces, la primera en la imaginación y la segunda en la realidad del mundo. Hasta en la biblia dios pensó y después creo.

CAPITULO XI

Las Experiencias que Han Dejado Huella

Cuando trabajé como gerente en una oficina de préstamos hipotecarios, además de tener mi equipo de agentes de préstamos también tenía mi equipo de agentes de bienes raíces. El trabajo era mucho y yo me estaba volviendo loco, era evidente que necesitaba ayuda. Me habían hablado de una mujer ya adulta, una mujer anglosajona y de carácter fuerte. Le pedí a mi asistente que pactara una cita con ella para proponerle la posición. La reunión con ella fue buena, nos caímos bien y en pocos días ya estaba trabajando en el equipo.

Los que me dijeron que esta mujer tenía un carácter fuerte se quedaron cortos, nos traía a todos en la oficina en chinga, marcando el paso, en lugar de sentirnos en la oficina parecía que estábamos en un batallón militar.

Poco tiempo después, desafortunadamente ella se enfermó de cáncer, fui a verla en el hospital.

--- ¿Como estas?

--- Es una pregunta un poco tonta. Me dijo, --- Si estoy aquí no es porque mi salud está bien ¿verdad?

--- Tienes razón, discúlpame.

Aun así, con ella en la cama de hospital yo sentía que me traía cortito. Les digo, calzonuda la mujer esta.

--- Le pedí a dios que trajera a las personas que yo necesito ver, hablar o pedir disculpas hasta mi cama. Ya sé porque estás aquí hoy, no es casualidad. Quiero decirte un par de cosas, pero con una condición.

--- Dime, estoy aquí para lo que necesites.

--- Yo ya no necesito nada, la condición es: Mientras te digo lo que te quiero decir no me interrumpas, una vez que termine de decírtelo, quiero que te quedes callado, te des la vuelta te vayas del hospital y no voltees a verme cuando te vayas y jamás vuelvas aquí a verme.

Me quedé confundido, era claro que ella ya sabía que no se levantaría de esa cama y que su final ya estaba cerca.

--- Esta bien, no te voy a interrumpir, no voy a decir nada, ni siquiera me voy a despedir. En cuanto termines me doy la vuelta, me iré sin voltear de nuevo a verte. Te prometo que no regresaré.

--- Bien. Mira, en la vida no es coincidencia que te encuentres con las personas que te encuentras. Dios, el universo, el destino o como le quieras llamar ponen en tu vida a las personas solamente para dos cosas, solamente por dos razones.

Se detuvo un poco para descansar, se escuchaba cansada y agitada. Se colocó de nuevo la mascarilla de oxígeno. Esa mujer fuerte de carácter dura en mostrar sus sentimientos, estricta, estaba ahí postrada, débil, desprotegida y desahuciada.

--- Las dos razones por las que te encuentras en la vida a las personas son estas: 1- Les enseñas algo o 2- Ellos te enseñan algo a ti. No es tan complicada la vida, se trata de aprender y de enseñar.

Muchos años atrás mi abuelo me dijo algo muy parecido: "El que tiene el privilegio de saber, tiene también la obligación de enseñar"

--- Yo sé que en estos pocos meses te he enseñado muchas cosas, pero también quiero que sepas que tú también me has enseñado mucho a mí. Lástima que ya no podré implementar todo lo que aprendí de ti.

Se puso de nuevo la máscara de oxígeno, levantó la mano y me hizo la señal de que me fuera. Me quede unos segundos de pie al costado de su cama, el tiempo necesario para darle un adiós mudo, solo con una mirada. Lo prometido es deuda, me di la vuelta con un nudo en la garganta, me di la vuelta justo en el momento que a ella se le rodó una lagrima en la mejilla.

Jamás la volví a ver. Poco tiempo después un conocido en común me dio la noticia que había fallecido.

La muerte es parte de la vida, "colgar los tenis" es para todos los seres vivos una realidad. Así que, con eso en mente, me siento obligado con mis clientes a estructurarlos cuando les hago una estrategia de expansión y crecimiento en su portafolio de bienes raíces, es ya parte de mis estrategias hablar con ellos sobre protección de bienes mediante fideicomisos (Trusts), LLC's, corporaciones, etc.

Me marcó tanto eso de encontrarme a las personas por 2 razones, que siempre estoy pensando si me toca aprender o enseñar. Me gusta más aprender.

Borracho desobligado

--- ¿Cómo estás? Mi madre te escucha todos los días en el programa de radio y pues sin querer queriendo también yo te escucho cuando me lleva al trabajo.

Así empezó la plática con mi cliente de esa tarde. Un tipo de 32 años.

--- Muchas gracias, pero dime, ¿En qué te puedo ayudar? y también a manera de chisme dime:

¿Por qué tu mamá te lleva a trabajar?

--- Todos dicen que tengo un problema con el alcohol, hasta la policía piensa eso, me quitaron la licencia de conducir por andar manejando borracho. Ellos no entienden que ¡el único problema que tengo con el vino es cuando no lo encuentro! Jajajajajajaja.

Cuando miró que no me reí, se sentó en el sillón de la oficina diciendo:

--- Era para romper el hielo, estoy nervioso. Tengo ya una semana sin tomar alcohol y me está llevando la chingada. Mi mamá está allá abajo en el estacionamiento, me trajo con usted porque según ella lo que me hace falta es tener un motivo grande para no tomar. El motivo según mi madre es tener una casa, quiere verme con una responsabilidad de pagos mensuales para que no tenga la tentación de agarrar el dinero para el vino, ella esta aferrada a que tenga mis obligaciones.

Hicimos todos los tramites, el muchacho tenía todo en orden, calificó perfecto para comprar una casa, por andar mal gastando su dinero en la borrachera, sus papás y hermana le iban a dar el dinero para el enganche. Así que un par de meses después ya le estaba entregando las llaves de su casa.

Al poco tiempo, sentado esperando mi turno en la ventanilla del DMV (Departamento de motores y vehículos) Me encontré a su hermana acompañando a su mamá que se encontraba en una silla de ruedas y con la pierna enyesada.

--- ¿Qué le pasó señora? ¿Ya se peleó con el marido? Para la próxima pelea en lugar de agarrarlo a patadas dele al bulto con un palo de escoba y en el cuerpo para que no se note que le pegó.

Las dos soltaron una tremenda carcajada por la ocurrencia mía

--- Hay señor, si le contara lo que me pasó… Fíjese que, llevando a mi hijo a trabajar, un conductor ebrio nos chocó directamente en donde yo estaba sentada al volante, el auto fue pérdida total y yo terminé en el hospital con la pierna rota. Gracias a dios a mi hijo no le pasó nada.

Ya con la compañía de las dos, el tiempo de espera fue más placentero. Resulta que el borracho desobligado había agarrado la onda, desde que compro la casa ya no tomaba, estaba enfocado en su trabajo y participaba dos veces por semana en el grupo de alcohólicos anónimos. La familia estaba más que feliz de ver a este joven rehabilitarse y tener un sentido nuevo para su vida. Esta pequeña historia tiene un final muy bonito, me dejó huella. 3 años después de esta plática en el DMV llega de nuevo el muchacho a mi oficina, había estado en mi última conferencia y estaba listo para una estrategia de inversión.

Cuando terminamos la primera fase del modelo de expansión de su portafolio 5 meses después, este nuevo inversionista tenía 3 propiedades. En una de ellas vivía el con su hermana, en las otras dos tenía a 8 inquilinos, las 2 casas de inversión las compró con 4 recamas cada una y tenía rentada cada habitación a una persona. Pueden ustedes pensar que tiene de particular esto, es común que se renten las habitaciones. La condición para que rentaras una habitación en una de sus propiedades era que estuvieras en alcohólicos anónimos en rehabilitación. Este inversionista encontró el motivo y la obligación que su madre tanto le pidió. En una de las habitaciones estaba el borracho (ahora sobrio) que ocasionó el accidente en donde su madre se fracturó la pierna. Hasta el día de hoy ya incrementó su portafolio en 2 propiedades más para un total de 5. Tiene como inquilinos a 16 personas, todas en rehabilitación. Además de ayudarles proporcionando un techo y todo el soporte moral que eso conlleva, la hermana se contagió del modelo de negocio del antes borracho desobligado de su hermano. Es verdad que tienen una muy bonita misión, pero también es verdad que los retornos de inversión y el flujo de caja por concepto de rentas es mejor con el modelo de una persona por habitación que si rentaran la casa completa a una familia. Ahora están ahorrando para que las próximas 2 propiedades sean rentadas a mujeres solamente con el mismo problema de alcoholismo.

Trasplante.

Una de las cosas que trato de aprender todos los días y de no pasar por alto es el ser agradecido. Es sumamente fácil dar las cosas por hecho. La salud es una de ellas, estás joven y no piensas que vas a llegar a viejo, descuidas tu dieta, dejas de hacer ejercicio y en un abrir y cerrar de ojos el cuerpo te está pasando la factura cuando entras en el segundo tiempo de la vida.

(de cero a 40 años es el primer tiempo, de 41 años en adelante el segundo tiempo)

Muchos lamentablemente esperamos a que la salud merme para tomar decisiones que de haberlas tomado con anterioridad nos habría librado de la enfermedad que ahora padecemos.

Un conocido cercano a mi familia me pidió fuera a su casa para hablar conmigo de bienes raíces. Yo no acostumbro a ir a domicilio con clientes, pero esta vez el me lo pedía por una razón delicada. Cuando llegué al lugar, me encontré con la siguiente situación:

Este conocido estaba cuidando a su madre que padecía de insuficiencia renal aguda y estaba ya por un tiempo en la necesidad de diálisis. Mi presencia ahí se debía que la señora quería mi asesoría para dejar todas sus cosas relacionadas en bienes raíces en orden, miraban difícil el trasplante que necesitaban. El doctor les dijo que estaba complicado y la lista de espera era larga. Les propuse varias alternativas a lo que deseaban hacer. Antes de que se decidieran les pedí que hablaran con un abogado experto en protección de bienes para que legalmente les diera todas las opciones que ellos tenían. Cuando ella decidió lo que era mejor para ella y su familia les ayudé también con los tramites.

Hay una palabra clave cuando tomas título de una propiedad, esta palabra te libra de complicaciones legales en caso de que "cuelgues los tenis".

JTWROS (Joint Tenants With Right Of Survivorship) = Inquilinos en conjunto con derechos a supervivencia.

En términos sencillos de entender, estas palabras significan que las personas que están en título de propiedad ceden sus derechos al que vaya quedando vivo. El ultimo sobreviviente que quede en título de la propiedad es el dueño 100% de la misma.

Es un documento muy sencillo y económico, es una manera de proteger tu patrimonio sin la intervención costosa de un abogado y no es necesario un testamento. Es obvio que vas a poner en título a las personas que quieras que eventualmente se queden como únicos dueños. Esta fue la opción que tomo la señora.

Volví a ver a mi amigo en los servicios fúnebres de su mamá. La tristeza fue doble para la familia de mi amigo, él también ya había sido diagnosticado con la misma deficiencia de su madre. Con una familia joven, 3 hijos menores de edad y la incertidumbre de lo que se avecinaba decidió poner manos a la obra.

Movió a su familia a otro estado que tenía mejor acceso a servicios médicos, la casa que le dejó su madre como herencia la utilizamos como trampolín para hacer crecer su patrimonio. Utilizamos la estrategia de un HELOC (Home Equity Line Of Credit) = línea de crédito en contra del valor de la casa.

Se apalancó en la plusvalía de la casa, utilizo las rentas para que se pagara sola y con el dinero de la línea de crédito se financio 2 propiedades más en su nueva ciudad. Su intención era crecer lo más rápido posible, su crecimiento tenía que ser a prueba de balas. En caso de que terminara igual que su mamá, él quería asegurarse que su familia estuviera bien económicamente y que sus hijos tuvieran el ingreso necesario no solamente para vivir bien sino para que se aseguraran también una educación superior en la universidad, todo esto lo quería conseguir por concepto de rentas. Hablando con el aprendí que una vez que entras en el tratamiento de diálisis y te lo aplicas 3 veces por semana o más, el promedio de vida para muchos de estos pacientes si no encuentran un donante de órgano es de 3 a 5 años.

Era una carrera contra reloj, la esposa y el comprometidos con todo, la salud era prioridad, pero también muy importante la estructura financiera.

--- Trabajar con inteligencia hará que lleguemos más rápido a la meta. OPM y OTM es el nombre del juego. Le dije a mi amigo en una reunión telefónica.

---Tenemos que encontrar la manera de que ingreses más dinero sin tener que usar más tu tiempo. ¡Tienes que aprender e implementar el modelo de OPM y OTM!

Esta familia tenía 3 ingresos. El de las rentas de sus 2 casas de inversión, y los trabajos de la pareja. ¿Qué hacemos muy bien la mayoría de los hispanos? Trabajar. Trabajar mucho.

El reto era trabajar mucho y duplicar o triplicar el trabajo en el mismo tiempo. La respuesta la encontró su esposa cuando le pagó $10 dólares a un compañero de la escuela de su hijo por lavarle el auto. Se pusieron a armar el plan de negocios, el costo, el equipo que necesitaban, la mercadotecnia y la mano de obra. El negocio: Poner una flota de vehículos para lavar autos a domicilio.

Mi amigo vivía una vida modesta y austera, todo el dinero que generaba era con el firme propósito de utilizarlo en recuperar su salud y el resto para invertirlo en bienes raíces. Tenían lo que necesitaban y no lo que querían. Esta "claridad" de pensamiento hará que tus objetivos sean alcanzados de una manera rápida y sistemática.

Pusieron su empresa de lavado de autos, todo en orden incluidos los permisos y los seguros correspondientes. La esposa se encargaba de la administración durante la tarde/noche, y durante la mañana mientras los hijos estaban en la escuela ella se dedicaba a vender sus servicios de lavado de autos en todos los lugares. Los sábados y domingos en varias iglesias y restaurantes ya con horarios definidos y entre semana ya tenían sus rutas de lavado de autos en los edificios de oficinas, bancos, clínicas dentales y de medicina. El bulto se especializó en vender los servicios directamente en zonas residenciales de ingresos altos. Cobraba más del doble por el servicio de ir hasta la comodidad de tu casa, pero si firmabas un contrato por limpiarte tu auto cada semana era un mejor precio. En un poco más de un año ya tenían una flotilla de más de 20 camionetas jalando el remolque con el equipo para lavar autos. Todo el dinero que ahorran lo usan para comprar propiedades y apalancarse más en el sistema bancario hipotecario. El bulto de vez en cuando se moja las manos para lavar un auto. Ella, como buen freno de mano, lleva la administración de sus dos empresas. Los 2 entendieron los conceptos básicos de OPM y de OTM. Todas las mensualidades de los vehículos incluidos los costos de manutención, gasolina y seguros, se los pagan sus empleados. Todas las hipotecas, los préstamos de sus propiedades se los pagan sus inquilinos. TODAS LAS DEUDAS Y GASTOS DE SUS DOS EMPRESAS LA PAGAN OTROS Y ELLOS SE LLEVAN LA GANANCIA Y LA PLUSVALIA.

El trasplante llegó, el bulto se recuperó de la cirugía y toda la familia está sana y feliz. Con la compra de más propiedades y los ingresos de su empresa es necesario actualizar su estrategia de expansión cada 6-8 meses. Las proyecciones son que para finales del 2024 tendrán 48 puertas y su negocio de lavado de autos ya factura casi un millón anual.

Albert Einstein dijo: "Una crisis puede ser una verdadera bendición para cualquier persona, para cualquier nación. Porque todas las crisis traen progreso. La creatividad nace de la angustia, así como el día nace de la noche oscura. Es en la crisis donde nace la inventiva, los descubrimientos y las grandes estrategias."

Mi abuelo dijo exactamente lo mismo, con otras palabras: "La carga hace andar al burro."

Estas son solo 3 de muchas historias que han marcado mi vida profesional y personal, momentos que han dejado huella y mucho que aprender. Reflejarse en el espejo ajeno, aprender de todos y todas las personas que se te paran enfrente. Aprender y enseñar.

CAPITULO XII

Lenguaje Esencial y Básico del Dinero

Si aprender inglés se te hace difícil, pero sabes que es muy importante que por lo menos te defiendas en una conversación sobre todo si vives en USA, imagínate lo importante que es saber y entender el lenguaje del dinero.

Ya todos hemos escuchado las expresiones negativas y de miedo sobre el dinero. Desde que es malo, es pecado, es difícil de conseguir, no se da en los árboles, tampoco nacen en las masetas y mucho menos se están barriendo en las calles de Gringolandia. Casi en la gran mayoría de las veces escucho este tipo de comentarios venir de las personas que no tienen billetes. Lo curioso es que a pesar de todos estos calificativos las personas siguen buscándolo. Les gustaría, me imagino, tener una vida holgada.

--- "Quiero tener más dinero, aunque sea malo, ¡yo lo convierto en bueno"! Me dijo un líder religioso cuando me pidió ayuda en una calle de Los Ángeles California.

Cuando estoy empezando una estrategia con un cliente trato de ser lo más simple de entender, si la fórmula es difícil de explicar entonces no es una buena fórmula. Las personas que están en mi grupo de mentoría escuchan mi programa de radio, están conmigo en mis conferencias y me siguen en las redes sociales ya entienden mucho el vocabulario de los bienes raíces. Hablamos un lenguaje universal cuando se trata de puertas, ROI, apalancamiento, OPM, OTM, flotar en crédito, velocidad bancaria y velocidad de dinero, activos, pasivos, activos circulantes y fijos, etc.

Me hacen burla porque entienden también "mi lenguaje" y mi forma "peculiar" de decir las cosas:

Bulto, freno de mano, surimbo, turista permanente, serpiente, hasta nunca chuy, hasta nunca chencha, hoy toca papá, hazte peligroso, y mucho más, es un lenguaje que lo hablamos con mucha naturalidad en mis citas y estrategias.

Y como de verdad no debería ser complicado entender el lenguaje básico del dinero, aquí te pongo las 5 tareas que Mr. B me puso a estudiar, aprender y aplicar.

1.- Aprende a ahorrar.

Qué difícil es. Está cabrón.

Brevemente tocamos en este libro los datos sobre los ahorros de los habitantes en Estados Unidos, más de la mitad de la población que trabaja tiene menos de $5,000 dólares ahorrados. Para muchos tener una casa constituye el ahorro. Desean que algún día la tengan pagada o que de perdido suba de valor para poder disfrutar de la plusvalía cuando lleguen a su vejez. Para otros el gran reto es llegar a la edad del retiro y que los ingresos del seguro social aun existan. En los latinos la unión familiar también es una esperanza de ingresos. Que los hijos mantengan a los padres.

¿Como ahorrar?

Primero asegúrate de tener un buen presupuesto. Tienes que saber cuánto dinero sale y cuánto dinero entra, esto independientemente si los ingresos los reportas al IRS o no. Cuáles son tus costos y gastos fijos: Renta, utilidades, pagos a acreedores, préstamos personales fijos como auto y también tu estilo de vida. Aquí en tu estilo de vida es donde vas a encontrar fugas de dinero, la gran mayoría no tenemos control en los gastos que no son fijos. Una pregunta que me ayuda mucho a controlar los gastos es: ¿Lo quiero o lo necesito? Si lo quieres es costo, si lo necesitas es inversión. Como en TODAS las ocasiones cuando inviertes corres un riesgo. Por ejemplo, utilizar el dinero en comida no es un costo, es una inversión. Pero si tu inversión es comida chatarra entonces es mala inversión y tu ROI es negativo. Una de las mejores maneras de saber en donde están tus fugas de dinero es no utilizando el efectivo. Usa tu tarjeta de débito o crédito para todos tus gastos… Para todos tus gastos. Si lo haces de esta manera sabrás exactamente la cantidad de dinero que gastaste, el día que lo hiciste, en que lo hiciste, a qué hora y en dónde. Si usas tu tarjeta de débito es lo mismo que usaras el efectivo, pero con un control del conocimiento exacto de tus gastos cotidianos. Si por el contrario usas una tarjeta de crédito, te recomiendo que aprendas a "flotar" esto consiste en no utilizar tu efectivo y utilices en su lugar una tarjeta de crédito. ¿Y los intereses?

No te preocupes. Como estas usando la tarjeta de crédito para absolutamente todo, tu efectivo ganado no lo estas usando. Cuando te llegue la factura de la tarjeta, usa el efectivo no usado y paga la tarjeta en totalidad. Además de incrementar tu puntaje de crédito y obtener puntos o dinero por usar la tarjeta, el pagarla en totalidad en cuanto te llegue la factura también garantiza que no pagues absolutamente nada de intereses. Flota y toma control de tus finanzas. Ahorra.

2- Aprende a invertir.

Imagínate que el dinero es un robot, es un empleado que solo hace lo que tu le dices. No se cansa, no llega tarde, no se enferma, no te pide vacaciones, ni tampoco te pide aumento, no es tu conyugue que te pide cuantas de como lo usas o en dónde. ¿Si tienes un empleado así, no te gustaría ponerlo a trabajar las 24 horas del día 7 días a la semana? Eso es la finalidad de invertir bien tu dinero. Aquí es donde debes de saber cómo calcular tu retorno de inversión (ROI), si no dispones de efectivo para invertir, entonces apalanca tu esfuerzo con el dinero de otros (OPM), la mayoría de las veces es dinero del banco. Si tu entiendes tu inversión y es buena para ti, entonces es absolutamente indispensable y necesario que repitas tus procesos, tienes que entender la velocidad del dinero. Esta consiste en el número de veces que una unidad o divisa cambia de manos o de lugar en un tiempo específico. Cuando lo hagas tienes que saber calcular también el tiempo en que tu inversión se convertirá en una inversión con un retorno infinito. El retorno de inversión infinito es el sueño y el máximo anhelo de todo inversionista. Consiste en que sepas calcular el tiempo que durarás en recuperar el dinero invertido mediante los flujos mensuales (convertidos en ingresos anuales).

Por ejemplo: invertiste $50,000 dólares en una propiedad y cada mes te quedan netos $ 1,000 al mes. Tu ROI es: $1,000 x 12 meses divididos entre los $50,000 = 24%

Tu ROI infinito lo adquirirás en 4.16 años.

$50,000 equivale al 100% de tu inversión

24% equivale al ROI anual

Entonces 100% dividido entre 24% = 4.16 años. Este es el tiempo que vas a durar en recuperar los $50,000 que invertiste. Una vez que hayas recuperado el 100% de tu inversión entonces dicha inversión alcanza el prestigio de tener un ROI infinito. La propiedad te sigue dando dinero mes a mes y año tras año sin que tu tengas ya ningún dinero en riesgo.

3.- La información y educación es poder.

Concéntrate en hacer lo que sabes hacer. En otras palabras: zapatero a tus zapatos. Cuando estas concentrado en hacer lo que sabes hacer o mejor, en hacer lo que te gusta, aprende lo más que puedas y todos los días sobre ese tema. Entre más informado estes más fácil será encontrar buenas oportunidades. La información te da el poder también de tener la comunicación de negociar a tu favor. Yo sé que Mr. B esta exageradamente bien informado en su ramo, tiene mucha educación en el tema de inversiones en bienes raíces. Cuando el habla es momento de cerrar la boca y abrir los oídos. Lo mismo va a suceder contigo, tu quieres estar tan informado y educado en el área que te desempeñas, que tu arma entre otras será que cuando hables los demás se callen y escuchen.

4.- Toma acción.

Ya lo hablamos en un capítulo anterior. ¿De que te sirve saber si nunca vas a hacer nada? Así como es importante estar informados y educados es importante tomar acción. Hacer es mejor que saber. ¿Conoces a alguien que sabe mucho y no hace nada? ¿Conoces también a alguien que sabe poco, pero se avienta y empieza a tomar acción? Te apuesto una cena de sushi que el segundo, llegara más lejos. En el camino seguirá aprendiendo mientras sigue haciendo. Un día sabrá más que el que sentía que sabía mucho y unca hizo nada. El tomar acción es ser resiliente, no rendirse.

Es como me decía mi abuelo: Tu eres como un cuchillo de madera, no cortas, pero bien que chingas.

Toma acción, hazlo y nunca dejes de intentarlo. Tomar acción dirigida es algo que te ayudará mucho a conseguir tus metas y objetivos.

5,- Retirate, disfruta la vida.

Mi mentor tiene ya muchos años retirado y continúa trabajando. Él me explicó que está retirado financieramente hablando, ya no ocupa trabajar por dinero. Trabaja para contribuir a su misión de vida, a su legado. Hablamos ya de los principios del tiempo de Séneca. Disfrutar la vida y tener tiempo de descanso es indispensable y muy necesario. Aquí es donde te sugiero que te tomes un momento para pensar, tómate el tiempo que se necesite para saber tu número. ¿Cuál es el numero en dinero el cual debes de obtener al mes (sin tener que trabajar) para que consideres retirarte financieramente hablando? (aunque sigas trabando para sentirte útil o para no estar peleando con el bulto o freno de mano si te quedas por mucho tiempo en casa)

Por ejemplo: quiero ingresar $15,000 dólares al mes por concepto de rentas o dividendos de una póliza de seguro de vida o también una combinación de ambos. Estos son estrictamente ingresos producto de tus inversiones. ¿En cuánto tiempo lo debo de lograr? ¿Como lo voy a hacer? ¿Cuál es el plan de trabajo y de negocios? ¿Cuáles son los pasos por seguir? ¿Como me apalanco en dinero y tiempo de otros?

El éxito económico significa muchas cosas diferentes para todos. ¿Qué significa para ti?

Pero sobre todas las cosas... Disfruta el vieje y el camino. Disfruta tus logros. El camino no es recto ni plano. Encuentra tu razón de hacer las cosas, es muy peligroso no saber lo que quieres. Un locutor de radio me dijo durante una entrevista que me estaba haciendo:

"El que camina por la calle del no sé, llega a la plaza del nunca."

Encuentra en tu mente algo que te de paz y te haga sonreír. Cada vez que estes a punto de tirar la toalla ve inmediatamente a ese lugar mental, sonríe y siente la paz, recuerda por qué haces lo que haces.

En este 2023 ya rebasamos ¡UN TRILLON DE DOLARES EN DEUDA EN TARJETAS DE CREDITO! Es la primera vez en la historia que superamos esa cifra, es de alarmarse y de no bajar la guardia. Tal parece que lo que dicen los americanos: Cash is King (efectivo es rey) no está aplicando para muchos de nosotros, el dinero de tarjetas de crédito mal usadas o dinero de plástico se está apoderando también de los inmigrantes hispanos. Cuando unes las estadísticas que tenemos los habitantes aquí en Estados Unidos te das cuenta de que los números no cuadran, la relación entre ahorros vs deuda no hace sentido, en la gran mayoría, los hispanos no tenemos ni la más mínima idea de cómo funciona el dinero. Ya nos hicieron creer y aceptamos que el estar ocupado es lo mismo que estar produciendo y no es verdad. El que dice estar ocupado no tiene tiempo de absolutamente nada. Estudiar o entender nuestras finanzas personales para así empezar a crecer es en lo último que pensamos.

¿Quién es esclavo de quién? Tu del dinero o el dinero de ti.

Si eres de los que está ocupado y no te da tiempo de nada… Tu eres el esclavo.

Si estás trabajando todos los días para ganar dinero y no tienes el estilo de vida que quieres tener o el que se merece tu familia… Tu eres el esclavo.

Si ya estás en el segundo tiempo de tu vida y aun no sabes quien te va a mantener cuando llegue el momento de dejar de trabajar ya sea por edad o por despido… Tu eres el esclavo.

Si el dinero que te sobra cada mes es porque se te olvido pagar una factura o un recibo… Tu eres el esclavo.

Pero si es al revés, si es todo lo contrario en donde entiendes que el dinero es tu esclavo, sabrás que el dinero nunca llega tarde, ni te responde, tampoco te lleva la contraria, trabaja sin descanso las 24 horas del día siete días a la semana, jamás te llama para decirte que está enfermo, es el mejor aliado si necesitas ayuda, si estas enfermo o si tienes hambre y frio.

Una mujer me dijo en una llamada a la radio:

--- El dinero no compra la felicidad, ni el sueño. Yo soy feliz y duermo tranquila.

--- Entonces señora, deme su dinero y váyase a ser más feliz.

El dinero es un vehículo que hace entre otras cosas que "aflore" aún más el tipo de ser humano que eres. Si eres una persona pobre y también arrogante, con dinero lo serás aún más. Si eres generoso y ayudas a las personas cuando eres pobre, con dinero ayudaras aún más.

Bienes raíces me ha demostrado que es una manera muy predecible de saber y calcular tus flujos mensuales de ingresos. Puedes medir también la plusvalía adquirida como una ganancia adicional. Es un tangible, lo puedes ver y tocar. Es único, no existe otro pedazo de tierra igual en el mundo y eso lo hace tener y adquirir un valor especial.

Ya rebasamos los 8 billones de seres humanos en este planeta tierra, estoy convencido que también está llegando a un punto crucial la capacidad de seguir construyendo nuevas subdivisiones, algún día se acabara la tierra y no nos quedara más remedio que pagar más por la que aun esté disponible. Las ciudades alrededor del mundo cada día más contemplan la posibilidad de crear vivienda vertical, esto significa que las personas tendremos eventualmente que vivir en edificios porque el pie cuadrado del suelo hacia el cielo es más abundante.

Deseo de verdad y de todo corazón que encuentres tu segunda fecha de nacimiento, encuéntrala lo antes posible. Ponte a producir y a trabajar los talentos que tienes. Las oportunidades se miran de espaldas cuando ya pasaron, cuando ya se te fue el tren. Imagínate estar ya en tus años de adulto mayor, viejo/a, recordar tu pasado y decir: Lo hubiera hecho, lo hubiera intentado.

La vida es muy corta y es una lástima desperdiciarla en solamente vivir por vivir sin propósito ni brújula. Como me dice mi esposa: De por si es poquito el amor y ¿tenerlo que desperdiciar en celos?

Sobre el Autor

Flavio Jimenez es el fundador de ROI by FJ, grupo de mentoría privada que está orientada a desarrollar el máximo potencial de las personas tanto a nivel personal como financiero mediante bienes raíces. Su propósito personal es brindar educación a la comunidad hispana para cambiar la manera de pensar con respecto al dinero. Enseñar cómo ser libre financieramente, aniquilar tus deudas malas de una manera exacta, utilizando matemáticas, entendiendo la regla del 72, y los intereses compuestos, apalancarte en la deuda buena para generar ingresos toda la vida. Su misión profesional es convertir a todos sus clientes y miembros de sus respectivos grupos en sus propios bancos, generando y construyendo plataformas colectivas de inversión.

Para aprender más sobre Flavio Jimenez, su grupo de mentoría y los servicios que ofrece. Visitar nuestra página web:

www.flaviojimenez.com

Puedes encontrar más información:

 Flavio Jimenez

 @FlavioJimenez

 jimenezreflavio